SAS

LA VENGEANCE DE SADDAM HUSSEIN

DU MÊME AUTEUR AUX PRESSES DE LA CITÉ

N° 1 S.A.S. À ISTANBUL
N° 2 S.A.S. CONTRE C.I.A.
N° 3 S.A.S. OPÉRATION APOCALYPSE
N° 4 SAMBA POUR S.A.S.
N° 5 S.A.S. RENDEZ-VOUS À SAN FRANCISCO
N° 6 S.A.S. DOSSIER KENNEDY
N° 7 S.A.S. BROIE DU NOIR
N° 8 S.A.S. AUX CARAÏBES
N° 9 S.A.S. À L'OUEST DE JÉRUSALEM
N° 10 S.A.S. L'OR DE LA RIVIÈRE KWAÏ
N° 11 S.A.S. MAGIE NOIRE À NEW YORK
N° 12 S.A.S. LES TROIS VEUVES DE HONG-KONG
N° 13 S.A.S. L'ABOMINABLE SIRÈNE
N° 14 S.A.S. LES PENDUS DE BAGDAD
N° 15 S.A.S. LA PANTHÈRE D'HOLLYWOOD
N° 16 S.A.S. ESCALE À PAGO-PAGO
N° 17 S.A.S. AMOK À BALI
N° 18 S.A.S. QUE VIVA GUEVARA
N° 19 S.A.S. CYCLONE À L'ONU
N° 20 S.A.S. MISSION À SAÏGON
N° 21 S.A.S. LE BAL DE LA COMTESSE ADLER
N° 22 S.A.S. LES PARIAS DE CEYLAN
N° 23 S.A.S. MASSACRE À AMMAN
N° 24 S.A.S. REQUIEM POUR TONTONS MACOUTES
N° 25 S.A.S. L'HOMME DE KABUL
N° 26 S.A.S. MORT À BEYROUTH
N° 27 S.A.S. SAFARI À LA PAZ
N° 28 S.A.S. L'HÉROÏNE DE VIENTIANE
N° 29 S.A.S. BERLIN CHECK POINT CHARLIE
N° 30 S.A.S. MOURIR POUR ZANZIBAR
N° 31 S.A.S. L'ANGE DE MONTEVIDEO
N° 32 S.A.S. MURDER INC. LAS VEGAS
N° 33 S.A.S. RENDEZ-VOUS À BORIS GLEB
N° 34 S.A.S. KILL HENRY KISSINGER!
N° 35 S.A.S. ROULETTE CAMBODGIENNE
N° 36 S.A.S. FURIE À BELFAST
N° 37 S.A.S. GUÊPIER EN ANGOLA
N° 38 S.A.S. LES OTAGES DE TOKYO
N° 39 S.A.S. L'ORDRE RÈGNE À SANTIAGO
N° 40 S.A.S. LES SORCIERS DU TAGE
N° 41 S.A.S. EMBARGO
N° 42 S.A.S. LE DISPARU DE SINGAPOUR
N° 43 S.A.S. COMPTE À REBOURS EN RHODÉSIE
N° 44 S.A.S. MEURTRE À ATHÈNES
N° 45 S.A.S. LE TRÉSOR DU NÉGUS
N° 46 S.A.S. PROTECTION POUR TEDDY BEAR
N° 47 S.A.S. MISSION IMPOSSIBLE EN SOMALIE
N° 48 S.A.S. MARATHON À SPANISH HARLEM
N° 49 S.A.S. NAUFRAGE AUX SEYCHELLES
N° 50 S.A.S. LE PRINTEMPS DE VARSOVIE
N° 51 S.A.S. LE GARDIEN D'ISRAËL
N° 52 S.A.S. PANIQUE AU ZAÏRE
N° 53 S.A.S. CROISADE À MANAGUA
N° 54 S.A.S. VOIR MALTE ET MOURIR
N° 55 S.A.S. SHANGHAÏ EXPRESS
N° 56 S.A.S. OPÉRATION MATADOR
N° 57 S.A.S. DUEL À BARRANQUILLA

Nº 58 S.A.S. PIÈGE À BUDAPEST
Nº 59 S.A.S. CARNAGE À ABU DHABI
Nº 60 S.A.S. TERREUR À SAN SALVADOR
Nº 61 S.A.S. LE COMPLOT DU CAIRE
Nº 62 S.A.S. VENGEANCE ROMAINE
Nº 63 S.A.S. DES ARMES POUR KHARTOUM
Nº 64 S.A.S. TORNADE SUR MANILLE
Nº 65 S.A.S. LE FUGITIF DE HAMBOURG
Nº 66 S.A.S. OBJECTIF REAGAN
Nº 67 S.A.S. ROUGE GRENADE
Nº 68 S.A.S. COMMANDO SUR TUNIS
Nº 69 S.A.S. LE TUEUR DE MIAMI
Nº 70 S.A.S. LA FILIÈRE BULGARE
Nº 71 S.A.S. AVENTURE AU SURINAM
Nº 72 S.A.S. EMBUSCADE A LA KHYBER PASS
Nº 73 S.A.S. LE VOL 007 NE RÉPOND PLUS
Nº 74 S.A.S. LES FOUS DE BAALBEK
Nº 75 S.A.S. LES ENRAGÉS D'AMSTERDAM
Nº 76 S.A.S. PUTSCH A OUAGADOUGOU
Nº 77 S.A.S. LA BLONDE DE PRÉTORIA
Nº 78 S.A.S. LA VEUVE DE L'AYATOLLAH
Nº 79 S.A.S. CHASSE A L'HOMME AU PÉROU
Nº 80 S.A.S. L'AFFAIRE KIRSANOV
Nº 81 S.A.S. MORT A GANDHI
Nº 82 S.A.S. DANSE MACABRE A BELGRADE
Nº 83 S.A.S. COUP D'ÉTAT AU YEMEN
Nº 84 S.A.S. LE PLAN NASSER
Nº 85 S.A.S. EMBROUILLES A PANAMA
Nº 86 S.A.S. LA MADONE DE STOCKHOLM
Nº 87 S.A.S. L'OTAGE D'OMAN
Nº 88 S.A.S. ESCALE À GIBRALTAR

L'IRRÉSISTIBLE ASCENSION DE MOHAMMAD REZA, SHAH D'IRAN
LA CHINE S'ÉVEILLE
LA CUISINE APHRODISIAQUE DE S.A.S
PAPILLON ÉPINGLÉ
LES DOSSIERS SECRETS DE LA BRIGADE MONDAINE
LES DOSSIERS ROSES DE LA BRIGADE MONDAINE

AUX ÉDITIONS DU ROCHER

LA MORT AUX CHATS
LES SOUCIS DE SI-SIOU

AUX ÉDITIONS DE VILLIERS

Nº 89 S.A.S. AVENTURE EN SIERRA LEONE
Nº 90 S.A.S. LA TAUPE DE LANGLEY
Nº 91 S.A.S. LES AMAZONES DE PYONGYANG
Nº 92 S.A.S. LES TUEURS DE BRUXELLES
Nº 93 S.A.S. VISA POUR CUBA
Nº 94 S.A.S. ARNAQUE À BRUNEI
Nº 95 S.A.S. LOI MARTIALE À KABOUL
Nº 96 S.A.S. L'INCONNU DE LENINGRAD
Nº 97 S.A.S. CAUCHEMAR EN COLOMBIE
Nº 98 S.A.S. CROISADE EN BIRMANIE
Nº 99 S.A.S. MISSION À MOSCOU
Nº 100 S.A.S. LES CANONS DE BAGDAD
Nº 101 S.A.S. LA PISTE DE BRAZZAVILLE
Nº 102 S.A.S. LA SOLUTION ROUGE

LE GUIDE S.A.S. 1989

Photo de la couverture : Michel MOREAU

ISBN : 2 - 7386 - 0194 - 4

ISSN : 0295 - 7604

GÉRARD DE VILLIERS

LA VENGEANCE DE SADDAM HUSSEIN

E D I T I O N S
▪ GERARD *de* VILLIERS ▪

PROLOGUE

Waddi Maamar, représentant de l'OLP(1) en Grèce, referma derrière lui la porte capitonnée du bureau du ministre de l'Ordre Public à qui il venait de rendre visite, salua d'un sourire les deux secrétaires et traversa le hall du ministère à grandes enjambées.

Il rejoignit ensuite sa voiture – une Mercedes 280 noire – qui attendait en face du bâtiment, se laissa tomber sur le siège arrière et lança à son chauffeur :

– On va à Mazaraki.

Vingt minutes plus tard, la voiture s'arrêtait dans une petite rue calme du quartier de Psychico, en face de l'ambassade d'Irak. Waddi Maamar se fit aussitôt annoncer, demandant à parler au Second Secrétaire, Khalid Al Jawari. Ce dernier vint le chercher à la réception quelques instants plus tard et l'emmena dans son bureau, au quatrième.

– J'ai obtenu satisfaction, annonça aussitôt Waddi Maamar. Cela se fera sous trois jours.

– C'est absolument certain?

– Absolument. Le ministre s'y est engagé.

Khalid Al Jawari se détendit d'un coup, étreignant le Palestinien avec chaleur.

– Bravo. Je vais transmettre cette bonne nouvelle.

(1) Organisation de Libération de la Palestine.

Ils se quittèrent sur une brève accolade. A peine seul, Khalid Al Jawari se mit à sa machine et tapa une note brève, destinée à ses homologues de la délégation irakienne aux Nations Unies, à Genève, et de l'ambassade irakienne d'Amman, en Jordanie. Depuis dix jours, l'Irak était écrasé sous les bombes américaines et il était pratiquement impossible de communiquer directement avec Bagdad.

Lorsqu'il eut terminé, il appela par téléphone le chiffreur qui déboula dans son bureau.

– Chiffre-moi ces deux messages et envoie-les en priorité absolue, ordonna-t-il.

En dépit de son rang officiel modeste dans l'ambassade, Khalid Al Jawari en était le véritable patron, en tant que responsable du Moukhabarat(1). Le chiffreur sorti, il pria silencieusement pour que le ministre grec ne revienne pas sur sa parole. Cela aurait des conséquences tragiques pour lui.

(1) Services secrets irakiens.

CHAPITRE PREMIER

– *Grüß Gott*(1) Herr Rashid. Un appel pour vous, *bitte*!

Adnan Rashid, étiré en travers du lit, avait dû passer par-dessus le corps de sa compagne encore endormie pour atteindre l'appareil dont le fil était trop court. Les chambres de l'hôtel *Post* – le meilleur de St-Anton-sur-Arlberg – étaient spacieuses mais peu pratiques.

– Allô! ici Rashid, annonça le Palestinien dans le combiné. Qui est à l'appareil?

– C'est moi, je vous réveille? fit en arabe une voix qu'il reconnut aussitôt.

– Non, pas du tout.

– Je voulais simplement vous dire que l'argent va être viré aujourd'hui à votre compte, annonça son correspondant. Dès que vous serez crédité, les livraisons pourront donc commencer.

– Absolument, confirma avec chaleur Adnan Rashid. Il n'y a pas de problème.

– Très bien, conclut son interlocuteur, après un bref silence. Je suppose que vous allez encore passer une journée à ski, continua-t-il d'un ton badin. Profitez-en bien.

– Et comment! confirma Adnan Rashid, je vois le

(1) Bonjour.

soleil à travers les rideaux. Il va faire un temps splendide.

– Je voudrais bien être avec vous, soupira son correspondant. A bientôt!

Au moment où il raccrochait, la jeune femme allongée dans le lit se réveilla et s'étira. De petite taille, elle avait un corps pulpeux plein de courbes et une vraie tête de salope avec un nez retroussé, des yeux verts et une bouche sensuelle qui avançait en une moue perpétuelle. Ses copines, lorsqu'elle était à l'école de Kitzbühel, une des stations de ski les plus élégantes d'Autriche, disaient d'elle que Lili Panter avait « le cul dans l'œil »... Adnan Rashid la regarda chausser les escarpins qu'elle portait à la discothèque la veille au soir – elle avait horreur de marcher pieds nus –, se diriger vers la fenêtre puis écarter le rideau. La lumière entra aussitôt à flots. Cette façade du *Post*, accolée à la voie ferrée traversant St-Anton de part en part, donnait sur les pistes et les sommets cernant la station de ski.

Lili, le dos creusé mettant en valeur les fossettes de ses reins, se retourna.

– Il fait beau, *Putzi*! C'était qui?

– Notre « sponsor »...

Un éclair gourmand passa dans le regard de la jeune Autrichienne.

– Tout se passe bien?

– Parfaitement bien.

Adnan Rashid avait le regard fixé sur sa croupe pleine. Machinalement, il tâta sous le drap son sexe épais encore au repos, comme pour s'assurer de sa présence. Marié depuis cinq ans avec Lili, il ne se lassait pas de sa jeune compagne. Découpée en ombre chinoise, celle-ci était un véritable appel au viol.

– Viens ici, lança le Palestinien, saisi d'un brusque fantasme.

Lili se retourna avec une lenteur calculée, et resta de profil, afin qu'il puisse admirer sa chute de reins et les seins lourds dont elle était particulièrement fière.

– Viens, toi! répliqua-t-elle. Je regarde les gens.

Adnan Rashid, sans la quitter des yeux, commença à se caresser discrètement sous le drap. Euphorique. Avec ses cheveux noirs coupés court, sa moustache fournie, un peu tombante, et son corps musclé, il ne faisait pas ses cinquante ans. Bien qu'il soit un des terroristes les plus recherchés du monde, il se sentait invulnérable, grâce aux précautions sophistiquées dont il s'entourait.

Adnan Rashid n'était pas son vrai nom. Ce dernier, celui sous lequel il était recherché par le Mossad, la CIA, le BND et plusieurs autres Services occidentaux, était Abu Saif. Pour ce voyage, il avait usurpé l'identité d'un homme d'affaires jordanien qui possédait des bureaux à Genève, en Allemagne et en Autriche. Lili, sa femme, était devenue Fatima Rashid. Depuis qu'elle vivait avec lui, ce n'était pas la première fois qu'elle changeait d'identité.

Ils avaient quitté Khartoum, où ils résidaient, dix jours plus tôt, entrant en Europe par la Roumanie. Ensuite, il avait accompli un périple compliqué, prenant les contacts nécessaires à sa mission. Contraint pour des raisons techniques à un temps mort de quelques jours, il avait eu l'idée de ce séjour à la montagne.

Il adorait le ski auquel il avait pris goût lorsqu'il travaillait à l'OPEP à Vienne. Sous encore un autre nom... C'est à Kitzbühel qu'il avait rencontré Lili qui travaillait comme serveuse au *Goldener Greiss*(1). La profondeur du décolleté de sa robe bavaroise et son regard effronté avaient embrasé instantanément le Palestinien.

Après une cour éclair, il l'avait suivie un soir jusqu'à la chambre qu'elle occupait dans un modeste chalet attenant au *Goldener Greiss* et l'avait quasiment violée.

Quinze jours plus tard, Lili Panter quittait son travail

(1) Le Faisan doré.

pour partager sa vie à Vienne. Un peu plus tard, Abu Saif l'avait mise au courant de ses véritables activités dirigées contre Israël et ses alliés. Lili, qui avait eu un papa SS, s'était aussitôt enthousiasmée pour la cause palestinienne.

Le coup de téléphone reçu quelques minutes plus tôt l'avait comblé, signifiant que tout se déroulait comme prévu.

Seul regret : Lili ne skiait pas, se contentant de le retrouver pour déjeuner dans les restaurants d'altitude.

Pour l'instant, légèrement déhanchée sur ses escarpins, elle le regardait par en-dessous avec un sourire salace, provocante en diable.

Adnan sentit son ventre s'embraser comme de l'étoupe. Il retrouvait l'expression qu'arborait Lili lorsqu'elle venait se glisser dans sa chambre à Kitzbühel, avant de prendre son service, écartait le drap et se penchait sur lui en susurrant avec son délicieux accent :

– Je n'ai pas beaucoup de temps...

D'un bond, il fut hors du lit, précédé par son érection. Lili s'était remise à observer les pentes, feignant l'indifférence. Adnan vint se coller à elle par-derrière, coinçant son membre érigé dans la vallée de sa croupe cambrée et lui emprisonnant les seins dans ses grandes mains.

– Regarde! dit-elle d'un ton faussement détaché. Il y a déjà du monde sur les pistes.

Devant eux, des dizaines de points noirs dévalaient les pistes balisées, serpentant au flanc du Galzig et du Valluga. Le départ des bennes se trouvait juste de l'autre côté de la voie ferrée, presque en face du *Post*, à une centaine de mètres. Adnan Rashid abaissa son regard sur le quai noir de monde : un train entrait en gare. Lili ondula légèrement contre lui, comme pour s'y incruster encore plus. Adnan Rashid émit un grognement ravi, tandis que Lili, envoyant derrière elle la main à l'aveuglette, s'emparait de son membre.

– Tu es drôlement gros, ce matin! s'exclama-t-elle.

Elle se retourna, l'embrassa, tout en lui agaçant la poitrine avec sa maestria habituelle.

Adnan donnait des coups de reins dans le vide, comme un automate détraqué, frottant son sexe contre la toison noire de Lili, ce qui l'excitait encore plus. Celle-ci, qui adorait le chauffer à blanc, se retourna de nouveau, comme si le spectacle des pistes la passionnait et, aussitôt, son amant logea de nouveau son membre entre les rondeurs de sa croupe, sentant qu'il allait exploser. Aussi, se baissa-t-il un peu, tâtonna et d'un violent coup de reins, l'embrocha jusqu'à la garde, la soulevant presque du sol.

Lili poussa un feulement rauque, s'appuya à la fenêtre pour ne pas tomber et, salope jusqu'au bout des ongles, protesta.

– Tu ne m'as même pas caressée...

Adnan Rashid répondit d'une pression de tout son corps qui la projeta en avant, écrasant ses seins contre la glace de la double fenêtre. Puis il emprisonna ses hanches dans ses lourdes mains et se mit à la labourer profondément et lentement. Il avait l'impression que son sexe n'avait jamais eu de telles dimensions. Très vite, Lili ne se plaignit plus du manque de préparation. Les deux mains crochées dans l'espagnolette, le dos creusé, les fesses en arrière, elle ponctuait les coups de boutoir de gémissements de plus en plus enamourés.

– Oh oui! cria-t-elle, après un assaut encore plus violent, défonce-moi bien!

Il s'en donnait à cœur joie, Rashid. Sentant son membre buter très loin contre la paroi élastique au fond de Lili. Soudain, celle-ci poussa une exclamation.

– On nous regarde, là-bas! Des types près du Vallugabahn.

Adnan Rashid suivit la direction de son regard et aperçut un groupe de skieurs faisant la queue devant le départ du téléphérique, la tête tournée dans leur direction. Cependant, étant donné la distance, ils ne pouvaient guère plus que deviner ce qui se passait. Pourtant, cela augmenta encore sa fougue. Se retirant presque complètement, il revint dans la gaine accueillante avec lenteur, verticalement, puis recommença. Lili ondulait autour du pieu enfoncé dans son ventre, le souffle haché.

– S'ils nous regardent, lança soudain Adnan Rashid, ils vont en avoir pour leur argent.

Il venait de se retirer d'elle, déclenchant un couinement de reproche. Se guidant d'une main, il remonta vers l'ouverture des reins de Lili qui devina aussitôt ses intentions. Elle se plaqua donc plus contre la fenêtre, poursuivie par le glaive du Palestinien. Mourant d'envie de se faire sodomiser. Mais, en bonne salope, elle essaya de donner le change.

– Non, fit-elle, pas comme ça! Tu vas me faire mal.

Pour toute réponse, Adnan Rashid passa un bras autour de sa taille, appuya son membre à l'entrée de ses reins, et poussa de toutes ses forces. L'espace d'une seconde, le muscle opposa une résistance, puis le Palestinien s'enfonça d'un coup. Lili poussa un rugissement où la douleur et l'excitation se mêlaient dans les proportions du pâté d'alouette et de cheval...

– *Schweinhund!*(1) lança-t-elle, retrouvant sa langue natale. Tu m'as déchirée!

– J'espère bien! renchérit Adnan Rashid, enfoncé jusqu'à la garde. Regarde bien les connards là-bas, ça va les distraire.

Il commença à se démener en elle, la fourrageant brutalement, tant et si bien qu'il explosa avec un hurlement de plaisir quelques instants plus tard, essoufflé et comblé.

(1) Espèce de porc!

Chris Jones, dissimulé derrière un des piliers de ciment supportant la station de départ du Vallugabahn, au niveau de St-Anton, abaissa ses jumelles et lança d'un ton incrédule :

– *Shit!* J'ai l'impression qu'il est en train de la baiser devant la fenêtre!

Il n'en revenait pas. A Peoria, dans l'Illinois, ville dont il était originaire, c'étaient des choses qui ne se faisaient absolument pas... Vingt ans au Secret Service puis à la Division des Opérations de la CIA n'avaient pas ébranlé ses convictions morales. Capable d'estourbir sans le moindre état d'âme tout ennemi de la bannière étoilée, équipé en permanence de l'armement d'un petit porte-avion, doué d'une force herculéenne, le « gorille » avait conservé dans certains domaines la fraîcheur d'une rosière.

Milton Brabeck, son co-équipier, du même gabarit, haussa les épaules, fataliste. Lui, lisait *Penthouse* et ne considérait pas la Californie comme l'annexe de Sodome et Gomorrhe.

– Ces types-là, remarqua-t-il, ça baise aussi.

A leurs yeux, Adnan Rashid faisait partie de la lie de l'humanité. De le découvrir aussi humain le gênait un peu... D'un ton dégagé, Chris Jones lança à Milton :

– OK, tu restes là. Je monte au Valluga. Je suis sur la fréquence 42.

Chris Jones se dirigea vers l'entrée du Vallugabahn. Le téléphérique partait de St-Anton, emmenant d'abord les skieurs à une plate-forme intermédiaire, le Galzig, où se trouvaient des restaurants, puis au sommet du mont Valluga, à 2 800 mètres. Cette mission était un cauchemar pour les deux Américains. Ils n'avaient jamais mis les pieds sur des skis et se sentaient totalement déguisés dans leurs combinaisons molletonnées achetées sur place, arrivant à peine à se déplacer dans leurs lourdes chaussures de ski. Sous leur accoutrement, ils dissimulaient leur équipement radio et leurs armes.

Un *Desert Eagle* israélien 357 Magnum chez Chris Jones, avec en secours un petit *Python* deux pouces et un *Herstall* 15 coups 9 mm pour Milton Brabeck, doublé d'une mini-Uzi enfoncée dans sa combinaison. En plus, ils s'astreignaient à porter des gilets pare-balles en kevlar qui les plongeaient dans un sauna permanent.

Milton Brabeck regarda son copain s'engouffrer dans l'entrée du Vallugabahn. Quatre agents de la *Staatpolizei* (1) autrichienne participaient à leur mission. Deux se trouvaient déjà postés au départ des pistes. Au niveau intermédiaire du Galzig et tout en haut au Valluga, et les deux autres surveillaient le *Post*. Un faux couple disposant d'une Audi Quattro, prêts à tout. Les six étaient reliés en permanence par radio et disposaient de la possibilité de demander de l'aide à la police locale avertie de leur présence. En cas de besoin, ils pouvaient bloquer les rares routes quittant l'Alberg.

Depuis quatre jours que l'opération *Angriff* (2) durait, celui qui en était l'objet, Adnan Rashid, n'avait pas semblé s'en apercevoir. Il faut dire qu'au milieu des centaines de skieurs de toutes les nationalités, c'était quasiment impossible de repérer des suiveurs. D'autant que les quatre agents de la Staatpolizei skiaient comme des champions.

Le but de l'opération Angriff était double. D'abord ne pas lâcher Adnan Rashid d'une semelle, enregistrant toutes ses rencontres. Ensuite, lorsqu'il quitterait St-Anton, le suivre jusqu'à ce qu'il les mène à ceux qui les intéressaient. Chris et Milton savaient seulement que le Palestinien se trouvait en Europe afin d'organiser une importante opération terroriste pour le compte de l'Irak. Hélas, ils n'avaient pas pu le suivre durant la première partie de son séjour, n'ayant retrouvé sa trace que cinq jours plus tôt à Genève. S'ils le perdaient cela

(1) Sécurité d'Etat.
(2) Attaque.

déboucherait sur une catastrophe. Tous les jours, Bagdad était pilonné par les bombes américaines et Saddam Hussein devait saliver à l'idée de cette vengeance théoriquement imparable.

Bien entendu, le standard téléphonique du *Post* était sur écoute et des dizaines de photos avaient été prises, pour être communiquées immédiatement à Vienne et à la station de la CIA de Francfort. Chris et Milton se réveillaient tous les matins avec des idées de meurtre. Adnan Rashid, dont ils connaissaient la véritable identité, avait déjà placé une bombe à bord d'un appareil de la TWA entre Athènes et Beyrouth, tuant sept personnes, dont quatre Américains, et une autre dans le vol Hawaii-Tokyo, causant plusieurs victimes... Et tous les jours ils le regardaient skier au lieu de lui mettre une balle dans la tête...

Sa compagne, Lili Panter, ne valait pas mieux : c'est elle qui avait transporté la dernière bombe, sachant très bien ce qu'elle faisait sans même avoir l'excuse d'être palestinienne.

Milton Brabeck, demeuré seul, reprit ses jumelles et les braqua sur le *Post*, mais il n'y avait plus personne derrière la fenêtre de la chambre d'Adnan Rashid. Il éternua violemment, avec l'impression que le froid du sol envahissait progressivement son corps. Lui qui ne s'épanouissait que par 35° à l'ombre... Il se demanda s'il avait le temps de courir avaler un hamburger, mais réalisa que ce serait imprudent. Il était cloué là, jusqu'à la fin de la journée. Les quatre policiers autrichiens suivaient Adnan sur les pistes tandis que lui et Chris surveillaient les restaurants et le téléphérique.

Heureusement que les téléphériques arrêtaient à quatre heures! Combien de jours Adnan allait-il rester à St-Anton avant de commencer la mission pour laquelle il se trouvait en Europe? Milton ferma les yeux, imaginant déjà les dégâts que feraient dans le cerveau du terroriste un des projectiles du Herstall.

Il ne lui resterait plus beaucoup de neurones...

Adnan Rashid émergea de l'hôtel *Post* dans une flamboyante combinaison de ski rouge rehaussée d'éclairs noirs et prit ses skis plantés devant l'hôtel. Lili Panter suivait avec un pull noir et des fuseaux en lastex brillant qui moulaient sa croupe d'une façon presque indécente. Le Palestinien ne prêta aucune attention au couple qui chahutait près de l'entrée de l'hôtel en se lançant des boules de neige. Ses skis sur l'épaule, il s'engagea dans le passage souterrain passant sous les voies, afin de gagner le Vallugabahn.

Son euphorie était retombée, faisant place à une vague inquiétude...

Finalement, le coup de fil reçu une heure plus tôt le troublait. Sur le moment, il n'avait pas réalisé que sa banque de toute façon avait pour instruction de le prévenir dès que le virement annoncé par son interlocuteur arriverait. Ce dernier ne l'ignorait pas et était trop professionnel pour en faire trop. Son appel inutile avait donc une autre raison. Le fait qu'il n'ait rien mentionné n'était pas significatif. Il était peut-être sur écoute et en tout cas, agissait *toujours* comme s'il l'était. Peut-être avait-il voulu le prévenir. Mais de quoi?

Depuis qu'il se trouvait à St-Anton, Adnan Rashid n'avait rien remarqué de bizarre. Le calme plat. Il se retourna et ne vit que la foule des skieurs. Le couple qui chahutait devant le *Post* suivait, la main dans la main. L'homme s'arrêta pour acheter un journal à l'entrée du passage souterrain.

« Angriff 3 à Angriff 2. Ils viennent de quitter l'hôtel, se dirigeant vers vous. L'homme a une tenue rouge, la femme est en noir. »

Il aurait fallu être collé à lui pour entendre le message qui retentit dans l'oreille de Milton Brabeck grâce au récepteur dissimulé dans son gros bonnet de laine. L'Américain rentra ses jumelles dans sa combinaison et pénétra dans un magasin de sport d'où il pouvait observer le départ du Vallugabahn.

Dans quelques minutes, il pourrait aller croquer son hamburger, avant de reprendre son poste.

Adnan Rashid se rua avec les autres vers l'entrée de la nacelle du téléphérique qui venait d'arriver, protégeant tant bien que mal Lili des coups de skis et de bâtons. C'était le métro à six heures du soir en plus féroce... L'employé du Vallugabahn acheva de tasser les derniers arrivants à grands coups d'épaule, les portes se refermèrent puis l'engin s'ébranla lentement.

Adnan Rashid balaya ses voisins du regard sans rien distinguer d'inquiétant. Les mêmes têtes de sportifs, peu de femmes, des familles entières. Ils se balançaient doucement au-dessus des pistes, montant vers la station intermédiaire.

Sous le soleil radieux, il sentit son inquiétude s'envoler. Lili se serra contre lui avec une moue provocante.

– Ne viens pas déjeuner trop tard! demanda-t-elle, sinon, je meurs de faim.

– Je te promets, *Putzi*, jura le Palestinien.

Discrètement, il lui caressa les fesses, sentant son désir renaître.

La nacelle se hissait silencieusement jusqu'au Galzig où il fallait changer pour le second tronçon. Adnan et Lili sortirent au milieu des skieurs qui s'égaillèrent soit vers les restaurants, soit vers les pistes ou prirent la queue pour le Valluga. Lili embrassa son mari :

– Je vais sur la terrasse, dit-elle. A tout à l'heure.

Prolongeant un des restaurants, il y avait une grande terrasse en plein soleil, en bordure des pistes, où, pour 50 shillings on louait une chaise longue.

– A tout à l'heure! répondit-il, en se dirigeant vers la seconde nacelle qui l'amènerait tout en haut du Valluga.

Lorsque Adnan Rashid émergea de la nacelle du Vallugabahn, à 2 800 m, les deux agents de la Staatpolizei étaient là. Franz, monté déjà depuis longtemps, installé sur un rebord en ciment, mâchonnait une Franfurter, avec une bière. Viktor-Adolf, lui, avait recollé le Palestinien au Galzig et pris la benne avec lui. Lorsque Adnan fut passé devant Franz, celui-ci sembla regarder sa montre et lança dans le micro qui y était dissimulé :

« Angriff 5 à tous. Le sujet prend la piste en haut du Valluga. »

Viktor-Adolf se lança à son tour sur la piste, en chasse-neige, comme un débutant... Il avait jadis fait partie de l'équipe olympique d'Autriche. Quelques instants plus tard, Adnan commença à dévaler la piste, Franz dans son sillage. Lui et Viktor-Adolf se relaieraient pour éviter d'être repérés. A aucun moment, ils ne devaient le perdre de vue, afin de surprendre tout contact éventuel.

La seconde équipe – Helga et Kurt – devait être en train de rejoindre le Galzig.

Chris Jones installé au restaurant d'altitude du Valluga, centralisait les informations. Il bâilla en voyant Adnan Rashid et les deux policiers disparaître au tournant d'une butte; encore aujourd'hui, il allait se geler pour rien. Alors qu'il aurait été si facile de loger une balle dans le ventre de ce salaud pour qu'il ait le temps et l'envie de dire ce qu'il savait, et ensuite une autre dans la tête.

Les skieurs défilaient devant Lili Panter avec un glissement soyeux, disparaissant très vite de son champ de vision. Certains bifurquaient vers le bar situé derrière elle sur la terrasse pour y avaler une bière rapidement. Lili y avait pris un Cointreau *on ice* qu'elle dégustait tout doucement au soleil. La jeune femme était agacée. Depuis un moment, un personnage assez répugnant la draguait ouvertement avec des gestes obscènes.

Un jeune Suédois ivre mort bâti comme un bûcheron, un anneau dans l'oreille gauche, le crâne rasé, les yeux injectés de sang, torse nu, à mi-chemin entre le punk et l'homme de Néanderthal. Il tournait autour d'elle, l'apostrophant, puis regagnant le bar pour y chahuter avec ses copains. Une bête! Elle avait presque peur, malgré la foule paisible qui l'entourait. Il disparut enfin à l'intérieur du self-service et elle reporta son attention sur la piste.

Apercevant Adnan qui descendait dans sa direction, reconnaissable à sa combinaison écarlate, elle suivit ses évolutions au gré des bosses. Il skiait vraiment bien et elle en éprouva une secrète fierté.

Comme il se rapprochait, elle se redressa sur son siège, agitant le bras. Adnan l'aperçut et leva son bâton en réponse. Il descendait à toute vitesse et n'allait sûrement pas s'arrêter à la terrasse.

Lili le vit passer à quelques mètres d'elle, arborant un sourire radieux. Machinalement, elle regarda ceux qui défilaient derrière. Une famille entière, un gosse casqué, une grosse femme et un homme en blanc. Son pouls s'accéléra brutalement : celui-là avait une tête d'Arabe!

Lui aussi skiait très vite. Bientôt, elle ne vit plus que son dos puis plus rien lorsqu'il disparut dans la déclivité. Elle courut jusqu'à la rambarde et aperçut en contrebas les deux hommes qui dévalaient sur des trajectoires strictement identiques. En une fraction de seconde, elle en fut sûre : l'inconnu en blanc était là pour Adnan! Depuis qu'elle partageait la vie dangereuse du Palestinien, elle avait acquis un sixième sens et avait appris à se méfier de tout ce qui était même légèrement insolite. Elle eut beau se répéter qu'Adnan n'était pas le seul Arabe à aimer le ski, quelque chose de tendu dans le visage moustachu de cet inconnu l'avait inquiétée.

Si on suivait Adnan, ce n'était pas pour son bien...

Elle regagna sa chaise longue, perturbée, cherchant comment avertir son amant. Il n'y avait malheureusement qu'une seule façon de le faire : attirer son attention lorsqu'il repasserait devant la terrasse, s'arranger pour qu'il s'arrête. Elle se rassit enfin, incapable de lire, échafaudant les hypothèses les plus folles. Les Israéliens ressemblaient parfois à des Arabes. Or, Adnan Rashid, sous son vrai nom, était sur leur liste d'hommes à abattre.

L'Autriche était le pays idéal pour une liquidation discrète, même si Adnan, prudent, était toujours armé. Un petit Beretta à canon court accroché sous sa combinaison.

Lili Panter essaya de tromper son impatience. Le temps qu'il termine sa descente et qu'il remonte par le téléphérique, il s'écoulerait une bonne demi-heure. En dépit de cela, elle se mit à guetter toutes les silhouettes qui descendaient de la butte. Elle qui, d'habitude, mourait de faim, n'aurait pas avalé un petit pois. Elle termina d'un coup son Cointreau pour se dénouer les nerfs.

« On dirait qu'il a un baby-sitter! » annonça Kurt dans sa radio.

C'est lui qui venait de repérer la présence de l'inconnu en combinaison blanche sur les traces d'Adnan Rashid. L'homme avait repris en bas des pistes la même nacelle que le Palestinien, en se tenant à l'extrémité opposée, le visage tourné vers l'extérieur. Kurt se trouvait juste derrière lui, l'observant. Rien d'intéressant à part son type moyen-oriental. Il pouvait être grec, libanais, marocain, pakistanais ou même israélien.

Une voix chuchota dans le micro fixé dans son oreille. Viktor-Adolf revenu en haut du Valluga après avoir dépassé Adnan.

« Angriff 4 à Angriff 3, annonça-t-il, décroche en arrivant en haut, je prends la suite. Appelle la Centrale à Vienne pour rendre compte. »

Lui aussi venait de penser aux Israéliens. Ce n'était pas le moment qu'ils viennent leur casser leur coup. Si l'inconnu en blanc en était un, il faudrait le neutraliser discrètement et s'expliquer ensuite...

Cinq minutes plus tard, la nacelle s'immobilisa en haut du Valluga, vomissant son paquet de skieurs. Ostensiblement, Kurt se dirigea vers la terrasse-restaurant à 2 800 m où il apercevait le bonnet vert de Chris, en bordure de la terrasse. Viktor-Adolf, ses skis déjà chaussés, s'apprêtait à prendre la suite. Du coin de l'œil, il vérifia que l'homme en blanc chaussait ses skis et démarrait derrière Adnan Rashid.

Viktor-Adolf, garçon athlétique de trente-deux ans, au prix d'une manœuvre audacieuse, arriva à la hauteur de l'inconnu en blanc, juste au moment où ce dernier s'arrêtait avant un slalom géant, sur une petite butte. Tous les skieurs marquaient une pause à cet endroit, situé dans le premier tiers de la descente; le policier autrichien aperçut vingt mètres plus bas la combinaison rouge et noire d'Adnan Rashid. Le Palestinien se reposait quelques instants.

L'homme en blanc semblait réchauffer ses mains en soufflant dessus. L'œil exercé de Viktor-Adolf repéra la minuscule antenne d'un noir mat d'un émetteur radio portatif accroché à son cou. Il était en train de parler dedans! Leurs soupçons étaient confirmés. Ce n'était pas un skieur ordinaire...

A son tour, il stoppa et annonça dans sa propre radio.

« Angriff 4 à Angriff 1. Baby-sitter confirmé. En train de communiquer. Pas de manifestation d'hostilité. »

Au même moment, Adnan Rashid se lançait dans le

premier slalom. Il en avait bien pour un quart d'heure à zigzaguer sur la pente raide. Viktor-Adolf s'ébranla à son tour, tandis que la réponse arrivait dans son écouteur dissimulé dans ses lunettes.

« Angriff 1 à Angriff 4. Restez en protection rapprochée. Intervenez immédiatement si geste suspect. Babysitter probablement Schlomo(1). Cherche à terminer sujet avec extrême préjudice... »

Autrement dit, un Israélien déterminé à liquider Adnan Rashid... Viktor-Adolf vérifia machinalement la présence de son Browning à quatorze coups dans son holster. Nerveux. Il n'avait pas envie de se heurter à des tueurs israéliens. Pourtant, l'homme en blanc ne bougeait pas, toujours sur la butte. Soulagé, il se lança sur les traces du Palestinien. Souhaitant que Chris Jones se trompe.

C'est Kurt qui aperçut le premier l'hélicoptère et le signala à Chris Jones. Un appareil rouge qui arrivait de l'ouest, volant assez haut. L'Américain le suivit machinalement des yeux.

– Il y a beaucoup d'hélicos par ici? demanda-t-il.

Le policier autrichien lui répondit sans quitter l'appareil des yeux.

– Non, ils sont interdits depuis six mois, sauf pour le transport des blessés. Il a dû y avoir un accident.

De la terrasse du Valluga au sommet du téléphérique, les deux hommes suivirent la course de l'appareil. Ce dernier perdait de l'altitude. Il s'immobilisa presque au-dessus de la piste de slalom et commença à descendre. Kurt se pencha par-dessus la rambarde de bois pour regarder en contrebas, imité par Chris Jones. Ce dernier poussa soudain une exclamation en se redressant.

– *God damn it!*

(1) Israélien.

Fièvreusement, il saisit ses jumelles et les braqua sur l'appareil. Ce qu'il vit lui fit froid dans le dos. La porte latérale de l'engin – un Ecureuil – était ouverte. Un homme s'y encadrait de face, attaché au siège, un fusil calé dans la saignée du coude. Chris Jones identifia un FN belge prolongé par un silencieux. L'hélico continuait sa descente, juste derrière Adnan Rashid, faisant voler des nuages de neige. Le Palestinien avait levé la tête, observant l'appareil.

– *Shit! Shit! Motherfucker!*

Les jurons coulaient de sa bouche comme de l'eau. Il se sentait complètement impuissant. Kurt, le micro collé aux lèvres, parlait à toute vitesse en allemand, alertant Viktor-Adolf.

Comme dans un cauchemar, Chris Jones vit plusieurs choses se produire en même temps. Viktor-Adolf arracha son pistolet de son holster et le brandit en direction de l'hélicoptère. Le tireur au fusil épaula, visant l'homme en combinaison rouge au-dessous de lui. D'où ils étaient, Chris Jones et Kurt ne virent aucune flamme à la sortie du canon et n'entendirent aucune détonation.

Adnan Rashid trébucha et tomba lourdement sur le côté, battant l'air de ses bâtons.

Chris Jones se retourna pour voir Kurt se ruer sur ses skis. L'Américain étouffa un grognement de soulagement : Adnan Rashid venait de se relever et repartait, quittant la piste pour s'abriter sous un bouquet de sapins. Sûrement blessé, car il avançait très lentement. L'hélico descendit encore et pivota soudain. Le tueur fit face à Viktor-Adolf qui, tenant son pistolet à deux mains, tirait sur l'Ecureuil. De nouveau, Chris Jones ne vit rien et n'entendit rien. Seulement le policier autrichien tomba en arrière d'un seul bloc et demeura immobile dans la neige, les bras en croix.

– *Shit!* Ce ne sont pas des Schlomos, s'exclama Chris Jones.

Des Israéliens n'auraient jamais abattu un policier autrichien.

L'hélicoptère repartit, le museau penché vers le bas comme un animal en chasse, et s'immobilisa légèrement en avant d'Adnan Rashid qui tentait désespérément de gagner le couvert. Les projectiles du fusil d'assaut le rattrapèrent bien avant. Cette fois, Chris Jones vit distinctement les impacts rejeter son corps en arrière.

Le Palestinien chuta dans la neige et ne bougea plus.

Calmement, le tueur de l'hélicoptère immobilisé juste au-dessus de lui tira encore plusieurs fois sur le corps inanimé. Une véritable exécution.

Kurt se rapprochait à toute vitesse. Tout en skiant, il se mit à tirer sur l'hélico. Mais c'était trop tard. Gracieusement, l'Ecureuil dégagea vers la gauche, prenant de l'altitude et montrant son ventre rouge.

Lorsque Kurt s'agenouilla près du corps de Viktor-Adolf, l'engin n'était déjà plus qu'un point dans le ciel bleu.

Chris Jones se rua vers la nacelle prête à descendre, alertant Milton Brabeck par radio.

Le corps d'Adnan Rashid formait une sorte de croix rouge sur la neige et les skieurs commençaient à s'agglutiner autour.

Le secret qu'il détenait et que la CIA voulait absolument était bien envolé. Soudain, Chris Jones pensa à la femme du Palestinien. Il fallait la récupérer coûte que coûte. S'il était encore temps.

CHAPITRE II

Lili Panter avait assisté à toute la scène. Elle était trop loin pour voir ce qui se passait exactement, mais la présence de cet hélico immobile au-dessus de la piste où se trouvait Adnan ne lui disait rien de bon. Elle attendit encore quelques minutes après que l'hélico se fut éloigné, puis prit sa décision : quelque chose était arrivé. Il fallait remonter en haut du Valluga.

Abandonnant sa chaise longue, elle fendit la foule des skieurs et traversa le restaurant en courant. Pour se heurter à l'homme en blanc qu'elle avait aperçu sur la piste derrière Adnan !

Lili eut l'impression que son cœur s'arrêtait. Elle croisa le regard de l'inconnu et sut immédiatement qu'il était là pour la tuer. Paralysée, elle regarda autour d'elle. Le hall venait de se vider entre deux nacelles, et tous les skieurs se trouvaient sur les pistes. L'inconnu plongea la main dans sa combinaison d'un geste naturel mais Lili ne s'y trompa pas. Il lui suffisait de quelques secondes pour l'abattre. Il fixait la poitrine de la jeune femme, là où il allait viser. Lili Panter ne réfléchit pas : d'un seul élan, elle se rua sur une porte en face d'elle. C'était celle des toilettes pour hommes.

A peine le battant refermé, elle s'immobilisa, l'estomac noué. Il n'y avait qu'une seule personne dans le local des lavabos : le Suédois au crâne rasé qui l'avait importunée! S'ébrouant après s'être passé la tête sous l'eau. Un éclair de surprise passa dans son regard glauque, puis un sourire cynique et obscène découvrit ses dents jaunes. Avant qu'elle puisse bouger, il avait refermé les bras autour d'elle et tentait de l'embrasser. Son haleine fétide, mélange de bière et de divers alcools, souleva le cœur de Lili. Elle lui mordit cruellement la lèvre et il poussa un rugissement de douleur. En un clin d'œil, il l'eut plaquée contre le mur, farfouillant sous son pull pour atteindre ses seins. De son autre main, il lui palpait les fesses avec un ricanement aviné. Lili se débattit d'abord : mais elle pensa au tueur qui la guettait dehors et ne résista pas trop. Il valait mieux un moment désagréable qu'une balle dans la tête. Le Suédois poussa un rugissement de bonheur. Même dans ses rêves les plus fous, il n'aurait jamais imaginé une créature aussi sexy venant chercher un homme dans cet endroit. Il la ceintura, la soulevant du sol pour la projeter dans une des cabines de WC vide. Il y entra à sa suite et verrouilla la porte derrière lui.

– Salaud! laissez-moi! protesta Lili, se disant que ça allait trop loin.

Pour toute réponse, il remonta brutalement son pull sur sa tête, l'aveuglant. Elle sentit ses mains palper avidement ses seins, les sortir du soutien-gorge. Le Suédois grognait, se frottant à Lili comme un verrat en rut. Il la lâcha quelques instants pour libérer un gros membre déjà dressé. Lili luttait pied à pied, assise sur la cuvette, l'écartant du mieux qu'elle pouvait. Dans cet espace étroit, il n'était pas facile pour le Suédois d'arriver à ses fins.

Son cerveau embrumé par l'alcool fonctionnait encore. Il recula tout à coup, attrapa Lili, la fit pivoter, l'agenouillant face au mur du fond. Arrachant le fuseau de sa taille, il le déchira et le fit glisser sur ses hanches, découvrant des fesses rondes qui provoquèrent un grondement émerveillé. D'une seule main, il baissa le slip de dentelle noire et se prépara à terminer son viol.

Milton Brabeck en faction en bas des pistes, tendu comme une corde à violon, guettait les skieurs descendant du Valluga. Sa radio n'arrêtait pas de cracher de mauvaises nouvelles. Adnan Rashid était mort. Viktor-Adolf aussi, trois balles dans la poitrine. Le skieur en tenue blanche qui avait servi de « marqueur » avait disparu. Dans l'entrelacs des pistes, il y avait une chance sur mille de le retrouver. Il pouvait très bien filer sur St-Christoph, le village voisin, ou ailleurs en pleine nature.

L'hélico était sorti de l'espace aérien autrichien presque immédiatement, survolant le lac de Constance. Aucune trace de lui. Tous les aéroports d'Allemagne, de Suisse et de France avaient été alertés.

« Angriff 2, ici Angriff 1, je descends sur le Galzig, entendit-il. Surveille la nacelle, la fille peut revenir par là. Arrête-la immédiatement. Kurt et Franz vont être là dans quelques instants. Helga s'occupe des communications. » L'Américain bouillait de fureur devant son impuissance. Adnan Rashid, l'homme qu'ils étaient censés surveiller, venait de se faire abattre sous leurs yeux.

Après avoir attendu quelques instants, voyant que Lili ne ressortait pas, le skieur en tenue blanche pénétra dans les toilettes des hommes. D'un coup d'œil, il vérifia qu'il n'y avait personne, ni dans les urinoirs ni devant les lavabos. Il se retourna vers les cabines de WC. Trois étaient ouvertes, vides. De la dernière, fermée, s'échappaient des bruits indistincts. Lili Panter s'y était sûrement réfugiée. Plongeant la main sous sa combinaison, il en sortit un PPK 9 mm prolongé par un silencieux. Visant à la hauteur des reins, il appuya sur la détente, calmement, laissant s'écouler quelques secondes entre chaque coup. Les « ploufs » des départs étaient imperceptibles. Il perçut des cris étouffés puis un gémissement plus fort. Le chargeur vide, la culasse fit un bruit sec en restant ouverte. Huit petits trous bien ronds étaient groupés sur la porte.

Il prêta l'oreille, le silence était retombé. Bon signe. Après avoir remis son arme dans son holster, il se précipita vers la sortie et il faillit prendre la porte en pleine tête. Un géant en anorak noir et bonnet vert venait d'entrer dans les toilettes. Le tueur se glissa à l'extérieur, sans le regarder. La porte n'avait pas eu le temps de se refermer qu'il entendit un glapissement derrière lui.

– *Hey, you!*

Sans hésiter, il démarra comme un malade, sautant d'une traite les marches des escaliers menant à la sortie latérale du Galzig, là où il avait laissé ses skis. Il se retourna, le géant au bonnet vert le talonnait. Bousculant les skieurs, il franchit la porte donnant sur les pistes. Il lui fallait quelques secondes pour chausser ses skis et, ensuite, l'autre ne pourrait pas le rattraper, n'étant pas équipé.

Il arracha ses skis de la neige et les chaussa à toute vitesse, abrité de la vue par un groupe qui arrivait des pistes. Le pouls à 150, il se redressa et vit dans l'embrasure de la porte son poursuivant. Les skieurs se dispersaient et il saisit ses bâtons au moment où l'Américain l'apercevait. Jamais il n'aurait le temps de prendre assez d'avance... L'homme au bonnet vert se précipitait vers lui. Acculé, le tueur arracha son pistolet de sa gaine. Oubliant que son chargeur était vide. Le temps de fouiller dans sa poche, l'autre était déjà sur lui.

– *Drop that gun!*(1) lança-t-il.

Le tueur ne répondit pas. Pensant intimider son

(1) Jetez votre arme !

adversaire, il braqua son PPK sur lui. Ce fut une très mauvaise décision. En une fraction de seconde, l'autre fit un pas de côté et un énorme pistolet au canon triangulaire jaillit dans son poing droit. Chris Jones appuya sur la détente de son Desert Eagle. Sous les yeux ébahis des skieurs, le projectile fit exploser le front du skieur en tenue blanche et ressortit par la nuque, emportant avec lui la moitié de sa boîte crânienne.

Les skieurs s'étaient immobilisés, pétrifiés. Une femme se mit à hurler :

– *Polizei! Polizei!*

Ça tombait bien. Kurt et Franz venaient de surgir du téléférique, attirés par les détonations, pistolet au poing. Kurt calma les badauds et Franz vérifia d'un coup d'œil que le skieur en tenue blanche était mort.

– Les chiottes! La fille est dans les chiottes pour hommes, lança Chris Jones hystérique. Il l'a flinguée.

Lui et Franz se précipitèrent à l'intérieur. Avant même de pousser la porte, ils entendirent les hurlements venant de la cabine verrouillée. Chris Jones aplatit un malheureux qui se trouvait derrière la porte et s'arrêta net. Un petit groupe était agglutiné devant la cabine fermée d'où venaient les cris. L'Américain les écarta violemment et pesa sur la poignée fermée.

– *Miss, open the door!* hurla-t-il.

Aucune réponse, sauf des cris redoublés.

Chris Jones ouvrit sa veste et, après avoir pris une inspiration, lança son pied droit à l'horizontale, comme un bélier, et frappa le battant métallique à la hauteur de la serrure, arrachant celle-ci et un morceau de mur. La porte s'entrouvrit partiellement vers l'intérieur. Aussitôt l'Américain tenta de s'y glisser. Il aperçut une masse confuse qui la bloquait; un homme effondré agenouillé à terre. Derrière, il vit une croupe dénudée appartenant à la femme qui hurlait. Les mains du cadavre étaient encore accrochées à ses hanches. Il lui avait servi de bouclier. Son dos dégoulinait de sang là où les projectiles s'étaient enfoncés.

De sa poigne puissante, Chris Jones releva le mort, l'arrachant à la femme, et le traîna à l'extérieur, l'allongeant sur le carrelage. Les badauds s'écartèrent, horrifiés.

Il revint vers la cabine où la femme se rajustait tant bien que mal et l'aida à en sortir. Son visage ravissant était ravagé par les larmes et elle tremblait de tous ses membres.

– *It's gonna be OK, Miss!*(1) assura-t-il.

La soutenant sous le bras, il l'entraîna vers le départ du téléphérique. Franz lui ouvrant la route avec sa carte de police.

– Nous nous retrouvons en bas, annonça ce dernier.

Un petit groupe de policiers autrichiens en uniforme et en civil attendaient à côté du Vallugabahn. De loin, on pouvait voir les skieurs tirant les deux civières zigzaguer sur la piste, se rapprochant. Lili Panter avait séché ses larmes. Elle se tenait près de Chris Jones, muette, les yeux secs, le visage fermé.

Dans un crissement sinistre les civières s'arrêtèrent en face d'eux, sous les chuchotis de la foule. Généralement, c'étaient des blessés qu'on descendait ainsi, pas des morts... Chris Jones se pencha et souleva la couverture cachant le visage d'Adnan Rashid. Aussitôt Lili Panter éclata en sanglots et se précipita vers le corps. Il fallut l'en arracher de force... Franz s'approcha d'elle et dit en allemand :

– Nous avons quelques questions à vous poser, Frau Rashid. Venez avec nous.

Sans un mot, elle les suivit dans le raidillon menant au passage à niveau. Franz, plutôt que d'occuper le minuscule poste de police, avait bloqué une suite au *Post*. Ils y seraient plus tranquilles pour bavarder. La

(1) Tout va bien, maintenant.

tentative de meurtre sur la jeune femme prouvait qu'elle savait beaucoup de choses et pouvait leur être très utile.

A peine arrivés dans la suite, Chris et Franz se mirent au téléphone, laissant les policiers autrichiens commencer l'interrogatoire sous la surveillance de Milton Brabeck. La première chose était de vérifier l'identité de l'homme en blanc sur lequel on avait trouvé des papiers. Cette mission de surveillance en apparence sans risques se terminait dans un bain de sang et sur un fiasco. Les informations détenues par Adnan Rashid étaient vitales pour empêcher une campagne terroriste de grande envergure. Même si Lili Panter les connaissait, rien ne disait qu'elle accepterait de parler...

*
**

Elko Krisantem vint se pencher à l'oreille du prince Malko Linge en train de déjeuner au Dom Perignon dans la grande salle à manger du château de Liezen, en tête à tête avec une ravissante voisine, Agatha von Schwerin, somptueuse brune aux cheveux cascadant sur les épaules, avec d'immenses yeux bleus et une bouche à faire rêver n'importe quel homme normal. Elle portait une robe ultra-courte en strech noir s'arrêtant au premier tiers des cuisses gainées de noir brillant. Malko n'avait pas encore réussi à savoir si c'étaient des bas ou des collants.

– On demande Son Altesse de St-Anton, annonça le maître d'hôtel turc. Je vous amène le portable ou vous prenez la communication dans la bibliothèque?

– Dans la bibliothèque, dit Malko. Agatha, je vous prie de m'excuser.

La jeune femme eut un rire charmant. Divorcée, c'était une des plus belles chasseresses de la Haute-Autriche. Visiblement en pâmoison devant Malko. Ses interminables jambes le fascinaient, comme ce visage aux hautes pommettes avec le regard plein de pureté où passait parfois une lueur trouble. Mais elle avait si bon genre qu'il se demandait comment la faire passer après le déjeuner jusque dans la chambre aux glaces où il avait rajouté récemment un lit de milieu incrusté de miroirs fumés, dernière création de Claude Dalle. Krisantem y avait préparé une bouteille de Moët millésimé, pour rompre la glace....

Il prit le récepteur.

– Ici, Malko Linge.

– C'est Chris, annonça le gorille. Nous avons un problème, ajouta-t-il avec sobriété.

Malko écouta, furieux intérieurement. Normalement, il n'aurait dû intervenir sur cette affaire que dans un deuxième temps. Il y avait bien cinq heures de route jusqu'à St-Anton! Son après-midi romantico-érotique était mal parti. S'il ne se ruait pas à St-Anton, le chef de station de la CIA à Vienne allait piquer une crise de nerfs. Contractuel de luxe à la Centrale américaine de renseignement, il avait des devoirs. Ceux que lui imposaient les incessantes réparations de son château. Les plombiers, les menuisiers et autres corps de métier étant plus rapaces que des vautours, il échangeait régulièrement quelques barils de sang contre des liasses de dollars. Les pierres du château de Liezen devaient être plus imprégnées de sang que celles du château de Dracula.

– Très bien, j'arrive, conclut Malko avec un soupir résigné.

– Vous partez? interrogea la voix douce d'Agatha von Schwerin.

Malko leva la tête. La jeune femme le contemplait de la porte. Ses lèvres épaisses s'écartèrent sur un sourire presque innocent.

– Votre maître d'hôtel m'a dit qu'il allait nous servir le café et les liqueurs dans la bibliothèque, alors je suis venue.

– Vous avez bien fait, approuva Malko.

Encore sous le coup de son appel téléphonique. Une

fois de plus, il allait sacrifier sa vie privée à la CIA... Une nouvelle brouille se prolongeant avec sa pulpeuse fiancée, Alexandra, il en profitait pour se changer les idées. Mais, cette fois, c'était mal parti. D'un mouvement plein de grâce, Agatha von Schwerin s'assit en face de lui et croisa ses longues jambes d'un mouvement assez large pour qu'il aperçoive une bande de chair blanche. C'étaient bien des bas!

Son dépit n'en fut que plus accentué. Une femme qui met des bas noirs par un radieux après-midi de soleil pour venir déjeuner avec un homme ne peut être qu'une authentique salope ou une allumeuse. D'autant que les goûts de Malko étaient connus en Haute-Autriche...

Elko Krisantem surgit, précédé d'un immense plateau en argent massif aux armes des Linge, sur lequel étaient posés des tasses à café, une bouteille de cognac, une de Stolichnaia et des verres.

– J'ai demandé un cognac, dit Agatha. J'adore les alcools français.

– Elko, préparez la Rolls, nous partons pour St-Anton, annonça Malko.

L'œil de Krisantem brilla. Il était toujours ravi de troquer sa tenue de maître d'hôtel contre celle de tueur à gages-garde du corps. Depuis Istanbul(1), il n'avait pas perdu la main pour se servir du mortel lacet qui ne le quittait jamais.

Il se retira en refermant soigneusement derrière lui les deux battants de la porte. Agatha ne toucha pas à son café, l'abandonnant sur la table basse, mais trempa ses lèvres dans le cognac.

– Je crois que vous avez à faire, dit-elle. Je vais vous laisser.

Malko sentait qu'elle mourait d'envie de lui demander pourquoi il partait si brusquement... Sa réputation d'homme de l'ombre attirait les femmes au moins autant que ses yeux dorés.

(1) Voir *SAS à Istanbul*.

– Non seulement vous ne me dérangez pas, protesta-t-il, mais je suis crucifié à l'idée de vous abandonner si vite. J'avais prévu...

Il laissa sa phrase en suspens.

– Ce sera pour une autre fois, dit-elle avec un sourire poli.

Tirant sur sa robe d'un geste plein de pudeur, elle se leva. Malko l'imita et ils restèrent quelques secondes face à face.

– J'ai quand même le temps de vous dire au revoir, dit-il.

Ils étaient à moins d'un mètre l'un de l'autre. Brutalement, Malko ne vit plus que la grosse bouche entrouverte et les yeux pleins de trouble. Il n'eut qu'à allonger le bras pour atteindre la taille d'Agatha von Schwerin. Comme attirée par un lasso invisible, elle vint aussitôt s'incruster contre lui avec la souplesse d'une liane. Leurs bouches se trouvèrent et elle s'alanguit encore plus dans ses bras. Malko laissa une main errer sur la croupe cambrée et pleine et Agatha creusa les reins comme une chatte heureuse. Son corps semblait ne plus avoir d'os tant il épousait le corps de Malko. Celui-ci sentit une formidable érection monter de ses reins et sa visiteuse ne put que s'en rendre compte.

Elle interrompit son baiser et il crut qu'elle en était choquée. Elle se contenta d'un sourire espiègle et lança d'un ton badin :

– Je ne prends pas la pilule depuis que je n'ai plus d'homme dans ma vie! Il faudra faire attention.

C'était dit avec un tel naturel que Malko manqua éclater de rire.

– Ce problème peut se résoudre! affirma-t-il.

Agatha ferma les yeux quand il remonta le long d'une cuisse soyeuse, atteignant la peau, puis la moiteur d'un ventre sans aucune protection. La jeune aristocrate ne portait que sa robe, ses bas et ses escarpins...

– Vous êtes un fantasme merveilleux! murmura-t-il, commençant à la caresser.

Elle ferma les yeux, ronronnant sous ses doigts, appuyée aux superbes lambris de chêne qui, après l'incendie partiel de Liezen(1), avaient été refaits à l'identique par le décorateur Claude Dalle.

– Vous pensiez que j'étais *seulement* venue déjeuner?

Il ne répondit pas, remontant la robe jusqu'à ses hanches afin d'avoir le champ libre, découvrant un triangle d'astrakan net comme une pelouse anglaise. Pendant un temps qui lui parut très long, il s'acharna à lui donner du plaisir. Agatha soufflait, gémissait, murmurait des « oui » languissants. Il parvint à déclencher son orgasme et, alors qu'elle tressautait encore de plaisir, l'envahit, debout comme une chambrière. Grâce à sa taille, ils étaient parfaitement emboîtés l'un dans l'autre. Les bras noués autour du cou de Malko, Agatha roulait des hanches, embrochée jusqu'à la garde. Mais quand elle sentit la sève monter de ses reins, elle le repoussa énergiquement.

Pendant quelques secondes, Malko eut une envie de meurtre. Puis, d'un mouvement gracieux et souple comme une révérence, Agatha von Schwerin se laissa tomber à genoux devant lui, l'engloutissant à pleine bouche au moment crucial.

Malko en vit un ciel plein d'étoiles et cria son plaisir. Agatha se releva un peu plus tard avec la même grâce et dit d'un ton badin :

– Je suis désolée de ce petit contretemps.

– Ne le soyez pas, protesta Malko, je n'ai jamais rien connu d'aussi exquis!

Elle sourit sans répondre, tirant de nouveau sur sa robe.

– Je crois qu'il faut que vous partiez maintenant, dit-elle.

Lorsqu'ils sortirent de la bibliothèque, la Rolls était déjà dans la cour, briquée comme un louis d'or. Agatha

(1) Voir S.A.S. N° 62 : Vengeance romaine.

von Schwerin adressa un petit geste complice à Malko avant de s'éloigner.

– Appelez-moi quand vous rentrez!

Il regarda le balancement de ses hanches tandis qu'elle gagnait sa Jetta vert pomme. Quel dommage de n'avoir pas pu lui rendre un hommage plus complet.

Décidément, la Haute-Autriche recelait encore des ressources inconnues. Avec une grande économie de moyens, Agatha von Schwerin avait procuré à Malko un des plus beaux souvenirs érotiques de son existence.

Il s'installa à l'arrière de la Rolls. Elko Krisantem se retourna, désigna un étui de cuir posé sur la banquette.

– J'ai nettoyé et révisé l'arme de Son Altesse. On ne sait jamais.

Il y avait longtemps que Malko ne s'était pas servi de son pistolet extra-plat. Il ouvrit l'étui et le regarda : le long canon prolongé par le silencieux lui rappela instantanément qu'il venait seulement de vivre une récréation agréable dans une vie pleine de dangers.

***

Mahmoud Al Takriti, responsable du Moukhabarat pour toute l'Europe, et officiellement numéro 2 de la délégation irakienne auprès des Nations Unies à Genève, relut attentivement le rapport qu'il se préparait à envoyer à Bagdad, via la Jordanie.

Souhaitant de tout son cœur que son homologue d'Athènes ne se soit pas engagé à la légère. La décision qu'il avait prise concernant Abu Saif était une des plus difficiles de sa carrière.

Ses ennuis avaient commencé quelques jours plus tôt. Lorsqu'il avait envoyé un « courrier » au Palestinien à St-Anton. Ce « courrier », membre du Moukhabarat, avait jadis été en poste à Vienne. Et par pur hasard, il avait identifié dans le sillage d'Abu Saif-Adnan Rashid un agent de la *Stapo* connu lors de son séjour en

Autriche. Au lieu de contacter le Palestinien, il était resté dans l'ombre, découvrant la présence de toute une équipe. Rashid était sous haute surveillance. Revenu à Genève, le « courrier » avait rendu compte à Mahmoud Al Takriti et ce dernier s'était trouvé devant un horrible dilemme.

Il était pratiquement certain qu'Abu Saif n'avait pas trahi. Il était surveillé à son insu. Seulement, si on le prévenait, ses suiveurs s'empareraient de lui dès qu'ils le verraient tenter de disparaître. Or, Abu Saif était au courant de tous les détails de l'opération Intiqam(1), commandée par Saddam Hussein lui-même. On ne pouvait pas prendre le risque qu'il parle. Il ne fallait à aucun prix que l'on puisse remonter aux véritables commanditaires. Si on ne le prévenait pas, il mènerait ceux qui le surveillaient – forcément des Services occidentaux – aux exécutants de l'opération Intiqam. Dans les deux cas, la catastrophe.

Il ne restait qu'une solution : sacrifier Abu Saif et sa femme. Ce qui supposait une solution de rechange.

Il avait fallu trois jours de messages codés frénétiques entre Bagdad, Genève et Athènes pour résoudre le problème. Et pour que Mahmoud Al Takriti organise l'élimination de leur allié. Maintenant que c'était fait, il se sentait doublement coupable. D'abord d'avoir liquidé un compagnon fidèle et aussi du demi-échec de l'opération. La femme d'Abu Saif était toujours vivante. Mahmoud Al Takriti se rassurait en se disant qu'Abu Saif ne l'avait sûrement pas mise au courant des détails du projet.

Maintenant, les dés étaient jetés...

Au cas où il y aurait une chance de terminer le travail, il avait expédié une seconde équipe à St-Anton. Sans grand espoir.

(1) Vengeance.

CHAPITRE III

– Vous persistez à prétendre que vous ignoriez la raison de la présence en Autriche de votre mari? insista Franz Meyer, le visage congestionné par la fureur.

Face à lui, Lili Panter, l'air buté, les traits tirés, écrasa sa vingtième cigarette dans le cendrier déjà plein. L'atmosphère de la pièce était devenue irrespirable. Droite comme un I, la poitrine braquée sur ses interrogateurs comme deux obus, le regard assuré, la femme d'Adnan Rashid ressemblait à un bloc de granit.

– *Ja wohl*, dit-elle.

Exaspéré, le policier de la Staatpolizei frappa du poing sur la table.

– Et vous ne saviez pas non plus que votre mari faisait partie du groupe terroriste appelé « Organisation du 15 Mai », déjà responsable d'attentats à Bangkok, Nairobi, Londres, Rome, Anvers, Istanbul, Vienne, et encore, nous ne savons pas tout, et qu'il s'appelle en réalité Abu Saif?

La jeune femme ne se troubla pas.

– Mon mari était un businessman, répéta-t-elle. Tout ça, ce sont des mensonges. Des inventions des Israéliens.

– C'est pour cela qu'il voyageait sous un faux passeport jordanien, ironisa Franz Meyer, brandissant le document.

Ce qui ne troubla pas la jeune femme.

– C'est un vrai passeport que le gouvernement jordanien lui a donné. Mon mari est apatride comme tous les Palestiniens. On n'a qu'à leur rendre leur pays.

La discussion s'engageait sur une piste dangereuse. Franz Meyer, qui menait l'interrogatoire, changea son angle d'attaque.

– Avez-vous une idée de l'identité de ceux qui ont assassiné votre mari?

– Sûrement les Israéliens, affirma instantanément Lili Panter.

Franz Meyer soupira, découragé, et but un peu de son café froid. Il avait envie de l'étrangler, cette fille ravissante qui lui tenait tête avec acharnement, de la haine plein les yeux. Elle s'était effondrée devant le corps de son mari, mais depuis il n'avait rien pu en tirer... Le silence retomba dans la pièce et un train siffla à l'extérieur. La nuit commençait à tomber. Chris Jones regarda discrètement sa montre : impatient de voir arriver Malko...

Un policier de la Staatpolizei se glissa dans la pièce et déposa un télex devant Franz Meyer. Ce dernier, après en avoir pris connaissance, leva la tête.

– L'homme qui a essayé de vous assassiner dans les toilettes a été identifié, annonça-t-il. Il s'agit d'un sujet irakien, Mohammed Al Awali, qui a travaillé jadis officiellement comme chauffeur à l'ambassade irakienne de Vienne. Nos services l'avaient fiché comme membre du Moukhabarat, les services secrets irakiens. Qu'en pensez-vous?

– Rien, laissa tomber Lili Panter. Les Israéliens achètent tout le monde. Maintenant, j'en ai assez de vos questions. Je voudrais aller me reposer.

Elle se leva, d'une détente énergique. Franz Meyer échangea un regard résigné avec Chris Jones. Ils n'avaient rien à reprocher à la jeune femme, du moins pour le moment. Ce n'est pas un crime de se faire violer ou assassiner.

– Très bien, admit Franz. Nous allons vous raccompagner à votre chambre et vous assurer une protection continue. Je vous demande de ne pas quitter St-Anton pour le moment.

Lili Panter sortit de la pièce sans un mot. Franz Meyer secoua la tête.

– Quelle garce! Je suis certain qu'elle sait beaucoup de choses.

– Ne la lâchez pas d'une semelle, conseilla Chris Jones. Il ne manquerait plus qu'elle nous file entre les doigts. En plus, ceux qui ont flingué Adnan Rashid pourraient être tentés de venir terminer le travail...

La Rolls-Royce bleue avançait au pas dans la Hauptstrasse de St-Anton, grouillante de skieurs et, en principe, réservée aux piétons. La nuit était tombée et les innombrables cafés étaient bondés. Elko Krisantem stoppa le véhicule en face du *Post* et Malko en descendit aussitôt.

Chris Jones l'attendait dans le hall et vint au-devant de lui.

– Vous en avez mis du temps!

– Il y avait beaucoup de monde sur la route, dit Malko. Quoi de neuf depuis tout à l'heure?

– Pas grand-chose, avoua le gorille. Cette saleté de Lili Panter est muette comme un carpe. Il est temps que vous arriviez...

– Je ne vais pas lui arracher les ongles, remarqua Malko.

– Non, mais vous savez parler aux femmes. Jack Ferguson est dans tous ses états. Il est arrivé ici dix minutes avant vous. Et vous attend au bar.

Jack Ferguson était le chef de station de la CIA à Vienne.

– Parfait, dit Malko, je vais me changer, et je le rejoins.

Il monta dans sa chambre, perplexe. Jack Ferguson

lui avait parlé sans donner de détails quelques jours plus tôt de l'affaire Rashid, en lui précisant qu'elle n'était pas encore mûre... Apparemment, elle avait mûri vite. Dans le sang.

Après avoir passé un blazer et un pantalon d'alpaga, il redescendit. Jack Ferguson était tapi dans un des profonds fauteuils club du bar, dans le coin le plus sombre. Plus oxfordien que jamais avec sa veste en tweed et sa cravate club. Réchauffant dans ses deux mains un verre de cognac, tout en humant son arôme.

– Une vodka, je suppose? proposa-t-il à Malko.

– Glacée!

Le barman lui en apporta une sirupeuse à force d'être gelée! Après quatre cents kilomètres de route, Malko en avait besoin! L'Américain leva son verre de cognac.

– A la joie de vous revoir!

Ils avaient étroitement collaboré lors de l'affaire des Canons de Bagdad.

– J'avoue que j'aurais préféré demeurer à Liezen, précisa Malko.

Agatha von Schwerin tournait encore dans sa tête...

Jack Ferguson eut un sourire plein d'indulgence.

– J'imagine que vous étiez encore en compagnie d'une de vos pulpeuses créatures. Vous ne perdez rien. La veuve d'Adnan Rashid est superbe. Tenez, la voilà d'ailleurs.

Malko suivit la direction de son regard, découvrant une femme qui se dirigeait vers la salle à manger. Hyper-sexy dans un pull rouge moulant une très grosse poitrine et une jupe de cuir noir au ras des fesses. Ses jambes étaient gainées de cuissardes en daim noir à hauts talons qui accentuaient encore son aspect provocant. Un nez retroussé, une grosse bouche et l'air assuré d'une garce bon teint. Tous les hommes retenaient leur souffle sur son passage...

– Ravissant cobra, apprécia Malko.

– C'est désormais *votre* cobra, insista l'Américain.

– Expliquez-moi.

– Comme je vous l'ai déjà dit il y a deux semaines, au début des bombardements de l'Irak, un de nos satellites Vortex d'écoute de télécommunications a pu intercepter plusieurs messages expédiés du centre de contrôle de Bagdad au responsable du Moukhabarat irakien pour l'Europe, Mahmoud Al Takriti, qui est basé à Genève.

– Que contenaient ces messages?

– Ils faisaient allusion à une série d'attentats en Europe de l'Ouest contre les pays de la coalition et les intérêts des Etats-Unis. Nous n'avons rien pu avoir de plus précis. Des actions qualifiées de spectaculaires devant semer la consternation chez les ennemis de l'Irak. Le tout étant regroupé sous le nom d'opération Intiqam.

– Et alors, que s'est-il passé?

– Nous avons prévenu tous les pays concernés qui se sont mis à surveiller de très près les Irakiens du Moukhabarat. Et nous avons redoublé la surveillance électronique. Cela n'a rien donné.

L'Américain trempa les lèvres dans son cognac.

– Il y a eu un loupé. Deux missiles Tomahawk ont écrabouillé le centre de contrôle d'où partaient les émissions radios... Plus question d'apprendre des précisions supplémentaires.

Un ange passa, déguisé en Tomahawk. La concertation était une belle chose. Il avait dû y avoir de sacrées explications de gravure au Pentagone devant les photos du centre bombardé... Jack Ferguson alluma une cigarette et continua.

– Là-dessus, deux jours après, un colonel des Services syriens s'est pointé à notre ambassade de Damas. Vous savez que les Syriens sont devenus nos nouveaux amis d'enfance...

L'Américain, visiblement, en avait gros sur la patate. Côté assassin, Hafez El Hassad n'avait rien à envier à Saddam Hussein. Seulement, il tuait avec plus d'intelligence. Question d'éducation. Mais les 300 Marines US de Beyrouth étaient quand même morts. Sur ses ordres.

– Et que vous a appris ce Syrien? interrogea Malko.

– Il nous a donné un tuyau en or. Sur toute l'opération irakienne baptisée Intiqam. Se doutant que leurs agents disséminés en Europe étaient surveillés, les Irakiens avaient sous-traité. Avec l'Organisation du 15 Mai. Des gens très dangereux. Ils ont fait exploser une bombe sur un vol Panam Honolulu-Tokyo, en 1982, et en ont placé une autre sur un Panam Londres-New York. Heureusement, le système de déclenchement ne fonctionna pas et on la retrouva par hasard à Rio de Janeiro. En 1986, ils récidivèrent avec une bombe dans le vol TWA Chicago-Athènes. Ce groupe, dirigé par un certain Abu Ibrahim, a fabriqué des dizaines d'engins explosifs qui se promènent encore dans la nature. Ils sont sophistiqués, audacieux et hyper-dangereux.

– Quel est leur lien avec l'Irak? interrogea Malko.

– Ils sont basés à Bagdad depuis 1980 avec une autre antenne à Khartoum. Financés et soutenus par le Moukhabarat. Cela, nous le savions déjà, mais pas les derniers développements.

– Lesquels?

– Notre colonel syrien possède un informateur au sein de l'Organisation du 15 Mai, un ancien capitaine de l'armée syrienne. Il a appris qu'un certain Abu Saif, bras droit de Abu Ibrahim, se trouvait en Europe sous le nom d'Adnan Rashid pour coordonner l'opération terroriste.

« Nous l'avons retrouvé au *Noga Hilton* de Genève grâce au numéro de son faux passeport jordanien. Mais cela a pris quelques jours, ce qui fait que nous ignorons où il a été et ce qu'il a fait entre son départ de Khartoum et Genève. Dès que le président Bush a été mis au courant de cette affaire, il a signé un « finding » ordonnant à la Company d'utiliser tous les moyens pour que cette opération avorte. Nous avons requis la coopération de nos homologues européens, et depuis cinq jours nous ne lâchions plus le faux Adnan Rashid.

– Que s'est-il passé exactement aujourd'hui?

– Un hélico a surgi de nulle part et l'a flingué ainsi qu'un policier autrichien. Il était suivi – nous le savons depuis une heure – par un agent du Moukhabarat irakien que nous n'avions pas repéré et qui disposait d'une radio. C'est lui qui l'a signalé à l'hélico. Ensuite, c'était facile.

– Pourquoi l'ont-ils tué?

L'Américain eut un geste désabusé.

– Ces salauds sont encore plus méfiants que nous. Ils ont dû découvrir que nous étions autour de lui et ils se sont dit qu'il risquait de révéler toute l'opération Intiqam si nous l'arrêtions. Ils ont préféré lui fermer la bouche définitivement à titre préventif.

– Et cette femme?

– C'est la sienne, Lili Panter, une Autrichienne. Une dure qui a épousé la cause palestinienne. On n'en a rien sorti. Vous êtes notre seule chance de parvenir à briser son silence. Nous n'avons aucune charge contre elle et si elle disparaît dans la nature, nous nous retrouvons au point de départ.

– Si ce Rashid est mort, objecta Malko, tout danger est écarté... Puisqu'il était le responsable de cette opération...

Jack Ferguson secoua la tête, avec gravité.

– Les Irakiens sont tout, sauf des imbéciles. S'ils ont liquidé Adnan Rashid, cela ne signifie pas qu'ils ont renoncé à leur opération Intiqam. Ils ont sûrement un dispositif de secours. Cette Lili Panter risque de le connaître.

– Rien ne dit qu'elle ait envie de se confesser...

– C'est à vous de trouver la faille... Offrez-lui une collaboration intéressante pour elle. Venez, je vais vous présenter.

– Maintenant?

– Il faut battre le fer pendant qu'il est chaud.

Jack Ferguson se leva et Malko, après avoir terminé sa vodka, le suivit. La veuve d'Adnan Rashid dînait à une table du fond. Jack Ferguson y amena Malko. Lili Panter leur adressa un regard peu amène quand ils arrivèrent en face de sa table.

– Que voulez-vous? lança-t-elle.

– Je vous présente un de nos collaborateurs, le prince Malko Linge, annonça Jack Ferguson. Il va enquêter sur la mort de votre mari, et a quelques questions à vous poser. Je vous laisse tous les deux.

Lili Panter fixa Malko avec un dégoût ostensible avant de replonger le nez dans son assiette. Le chef de station en profita pour s'esquiver lâchement.

Malko attira une chaise à lui :

– Vous permettez?

Lili Panter haussa les épaules.

– De toute façon, je n'ai pas le choix. Mais je n'ai rien à vous dire...

Leurs regards s'affrontèrent quelques secondes, puis celui de Malko effleura la bouche sensuelle et le nez retroussé avant de descendre, enveloppant les seins en poire moulés par le pull rouge.

– Que fait une aussi jolie femme dans le terrorisme? demanda-t-il doucement, avec chaleur.

Lili Panter demeura de marbre, se contentant de lui lancer d'une voix venimeuse :

– Vous êtes venu me faire la cour?

– Ce ne serait pas une tâche désagréable, répliqua Malko. Mais, hélas, j'ai une mission plus austère.

– Laquelle?

– Avez-vous déjà entendu parler du « Witness Protection Program »?

Surprise par la question, elle fronça les sourcils.

– Non. Pourquoi?

– C'est une politique suivie par plusieurs grandes agences fédérales américaines comme la DEA, le FBI ou la CIA. Il s'agit d'obtenir la collaboration d'une personne détenant des informations précieuses en échange d'une protection totale, d'une importante somme d'argent et de la possibilité de recommencer une vie sous un autre nom.

Les yeux de Lili Panter flamboyèrent.

– Cela ne m'intéresse pas, fit-elle sèchement.

– Je... commença Malko.

Elle se leva d'un coup.

– Foutez-moi la paix!

Elle avait parlé si fort que les voisins se retournèrent. Furieuse, elle se dirigea vers le hall. Malko la rattrapa devant l'ascenseur et lui prit le bras.

– Si mon idée ne vous intéresse pas, dit-il, j'ai autre chose à vous dire.

Elle leva les yeux, obscurcis par la colère.

– Quoi?

– Attendez une minute.

Il venait d'apercevoir Chris Jones dans un coin de l'entrée, les surveillant. Il rejoignit le gorille.

– Vous avez le passeport de cette femme?

– Oui, dit Chris Jones.

– Donnez-le-moi.

Chris lui tendit le document.

– Où se trouve le corps d'Adnan Rashid? demanda Malko.

– En face, au commissariat, il n'y a pas de morgue à St-Anton.

– Trouvez-moi un policier autrichien pour m'y accompagner. Vite.

Des groupes joyeux arpentaient la Hauptstrasse avec des rires bruyants. Lili Panter, muette, essayait de ne pas glisser sur le verglas. Elle avait suivi Malko de mauvaise grâce, escortée de Chris et d'un des policiers autrichiens. Celui-ci ouvrit le commissariat, puis les guida dans une petite pièce glaciale où se trouvaient les trois cadavres sur des civières.

– Laissez-nous seuls, demanda Malko.

Resté seul avec Lili Panter, il souleva le drap recouvrant le cadavre d'Adnan Rashid. Le sang avait séché, formant une croûte noirâtre sur son visage.

– C'est bien votre mari?

La jeune femme inclina la tête affirmativement et bredouilla :

– Vous le savez très bien!

Sans rabattre le drap, Malko enchaîna :

– Il a été tué par ceux qui l'avaient recruté, vos amis irakiens. Qui craignaient qu'il nous fasse des révélations sur l'opération Intiqam. Je sais que vous détenez ces informations.

– Je ne sais rien, coupa-t-elle.

Elle avait repris son ton agressif.

– Très bien, soupira Malko. Je n'insiste pas.

Il recouvrit le cadavre et entraîna la jeune femme. Devant le commissariat, il sortit son passeport de sa poche et le lui tendit.

– Voici votre passeport, vous êtes libre de quitter St-Anton à votre guise. Nous repartons tous demain matin. A mon avis, vous ne vivrez pas plus d'une semaine. Où que vous alliez, les Irakiens vont vous rattraper et vous liquider. Malheureusement, je ne peux vous le prouver qu'*après*. Quand vous serez aussi froide que votre mari.

Le regard de Lili Panter ne le quittait pas et il sentit qu'il faisait mouche. Il lui tendit la main.

– Je vois que vous êtes entêtée, Frau Rashid. Alors je vous dis au revoir. Ou plutôt adieu.

La main de la jeune femme était glaciale et ce n'était pas seulement le froid. Malko pivota et se dirigea vers le *Post*, laissant la jeune femme plantée sur place. Intérieurement, il se mit à compter. Il était arrivé à sept lorsqu'un appel retentit derrière lui.

– Attendez!

Il se retourna. Lili Panter le rejoignit en courant maladroitement sur le verglas. Ses traits s'étaient défaits.

– Vous pouvez vraiment me protéger? demanda-t-elle d'une voix tendue.

CHAPITRE IV

Lili Panter s'était effondrée d'un coup. Malko l'avait ramenée, tremblante et sanglotante, jusqu'à l'hôtel *Post* et ils s'étaient installés dans le coin le plus sombre du bar désert. Les prenant pour un couple d'amoureux, le pianiste affublé d'une énorme moustache à la Tarass Boulba redoublait de mélodies sirupeuses... Tenant à deux mains un gros *tumbler* (1) plein de glaçons et de Cointreau, Lili tentait de regagner progressivement son calme.

Deux tables plus loin, Chris Jones et Milton Brabeck n'avaient pas vraiment l'air de se faire la cour, touchant à peine à leur Johnny Walker, leur regard sans cesse en mouvement surveillant l'entrée du bar. Milton jeta un coup d'œil en coin à Chris.

– T'étais pas mal avec ton bonnet vert, ironisa-t-il.

Chris Jones, mortifié, ne répondit même pas, se contentant de remarquer :

– C'est marrant, avec nous elle n'ouvrait pas la bouche, cette garce. Avec lui, elle n'arrête pas de parler.

De fait, Lili Panter se détendait comme un ressort fatigué. Racontant à Malko comment elle était tombée

(1) Verre à whisky droit.

amoureuse d'Adnan Rashid et ce qui avait suivi. Comment, peu à peu, elle avait épousé sa cause.

Ayant vidé son sac, la jeune Autrichienne se tut et leurs regards se croisèrent; celui de la jeune femme s'était nettement adouci. Malko sauta sur l'occasion.

– Maintenant, dites-moi ce que vous savez de l'opération Intiqam, suggéra-t-il.

Lili Panter savoura lentement une gorgée de Cointreau avant de répondre.

– Qu'est-ce que cela me rapportera? s'insurgea-t-elle. Quand vous aurez fini, vous me laisserez et ils me tueront.

– Non, répliqua Malko. Dans le cadre du « Witness Protection Program », la CIA vous offre un million de dollars et une nouvelle identité si vous nous aidez à stopper cette opération terroriste. Nous agissons sur un ordre écrit du président des Etats-Unis. Personne ne vous retrouvera jamais.

Lili Panter fixait le feu de bois d'un air absent. Brutalement, des larmes emplirent ses yeux et elle éclata en sanglots. Malko la laissa éponger son chagrin avant de continuer son interrogatoire.

– Mon mari n'aurait jamais dû être tué! renifla-t-elle.

– Comment cela?

– Au début ce n'est pas lui qui devait diriger l'opération Intiqam, c'est un autre Palestinien appartenant à la même organisation. Il se fait appeler Anouar Rashimi, mais ce n'est sûrement pas son vrai nom... Il a toujours eu de multiples identités.

– Qu'est-il arrivé?

– Il a été arrêté à l'aéroport d'Athènes, dans un contrôle de routine quand nous étions encore à Khartoum. On a trouvé des choses compromettantes dans ses bagages, des faux passeports et des documents montrant qu'il avait été impliqué dans le détournement de l'*Achille Lauro.* Depuis, il se trouve à la prison de Koridalos.

« Lorsqu'il a été arrêté, l'Organisation du 15 Mai a désigné Abu pour le remplacer. On ne sait pas combien de temps les Grecs vont garder Anouar Rashimi, lui est au courant de tout.

– Il n'a pas demandé à être mis en liberté? s'étonna Malko.

Les Grecs n'avaient pas la réputation d'être féroces envers les terroristes du Moyen-Orient...

– Si, bien sûr! Mais les Américains ont multiplié les pressions pour qu'il reste en prison et leur soit livré, à cause de l'*Achille Lauro.*

Ironie du sort.

– Mais vous, vous ne savez rien de plus sur l'opération Intiqam? insista Malko.

La jeune femme soutint son regard.

– Non, je vous le jure. Abu me disait toujours qu'il fallait en savoir le moins possible. Comme ça, si on était en prison, on ne pouvait rien révéler.

– Mais pourquoi l'accompagniez-vous dans ce voyage dangereux, dans ce cas?

Les lèvres épaisses de Lili Panter s'écartèrent sur un sourire triste.

– Parce qu'il ne pouvait pas se passer de moi... Il était fou amoureux.

Un ange passa avec des porte-jarretelles. Même les terroristes aimaient les salopes...

– Vous connaissez cet Anouar Rashimi?

– Un peu, c'est un vieux bonhomme, les cheveux gris avec une moustache noire. Costaud, soixante ans environ. Très myope.

– Vous croyez qu'il a pu parler à la police grecque de l'opération Intiqam?

– Sûrement pas, c'est un dur.

Malko se dit qu'avec comme seule source d'information un homme en prison et, de surcroît, décidé à ne pas parler, l'avenir était radieux.

– Je crois que c'est assez pour ce soir, dit-il. Allez vous reposer.

Lili Panter termina son Cointreau et se leva, le regard mal assuré.

– Vous êtes sûr que je ne crains rien?

– Absolument. Votre chambre est gardée par deux de mes meilleurs agents. Et si vous avez des cauchemars, vous pouvez m'appeler. Je suis à la 124.

Visiblement à regret, Lili Panter ouvrit la porte de l'ascenseur. Malko adressa un signe discret à Milton Brabeck qui s'approcha, rassurant comme un croiseur.

– Mr. Brabeck va se relayer devant votre porte avec son ami, Mr. Jones, expliqua Malko. A part une bombe atomique, vous ne craignez rien.

Avec un sourire un peu forcé, la jeune femme entra dans l'ascenseur, escortée du gorille. Aussitôt, Chris Jones rejoignit Malko, arborant un sourire salace.

– Je pensais que c'était vous qui alliez veiller sur elle, releva-t-il. De très très près... Une veuve comme ça, on n'en voit pas tous les jours...

– Chris, dit Malko avec une sévérité affectée, je ne mélange pas toujours le travail et le plaisir.

– Ah bon, fit le gorille déçu. Milton et moi, on aurait bien écouté aux portes. Si elle est toute seule c'est moins drôle. A propos, on a fouillé leur chambre pendant qu'on l'interrogeait cet après-midi; regardez ce qu'on a trouvé.

Il sortit de sa poche une sorte de bande élastique transparente de quelques centimètres, recourbée aux deux bouts. En l'examinant mieux, Malko réalisa qu'en réalité il y avait deux bandes de plastique l'une sur l'autre.

– Qu'est-ce que c'est?

Chris Jones se rengorgea.

– J'ai vu un truc comme ça une fois à la TD(1). Ils l'avaient piqué sur un agent bulgare du KGB. Vous

(1) Technical Division.

voyez, c'est en deux morceaux. Ça, c'est le couvercle qui s'enlève.

Joignant le geste à la parole, il détacha une des feuilles en plastique. Ensuite, il écarta les extrémités recourbées et plaqua l'objet dans la paume de sa main où il était pratiquement invisible. Radieux, il montra le tout à Malko.

– C'est une vraie saloperie ! Ce truc est hérissé de pointes très effilées. Si vous serrez la main de quelqu'un, elles le piquent, mais c'est imperceptible. Seulement, généralement, elles sont imprégnées soit de cyanure, soit de thallium ou de curare. Le type est mort en quelques minutes ou en quelques jours. C'est selon.

– Qu'est-ce que vous allez en faire ?

Chris Jones remit avec soin « le couvercle » du piège et haussa joyeusement les épaules.

– On ne sait jamais, la prochaine fois que je rencontrerai un ennemi d'enfance...

– Vous êtes tous réservés sur le vol Zurich-Athènes de 11 h 25, annonça Jack Ferguson. Mrs. Rashid voyagera sous son vrai nom. Je fais suivre l'équipement de Mr. Brabeck et Mr. Jones par la valise. Robert Alcorn, notre COS d'Athènes, est prévenu.

Malko et Jack Ferguson avaient eu un meeting très tôt, au moment où les premiers skieurs se ruaient à l'assaut des pistes, récapitulant ce qu'ils savaient. Ensuite, le chef de station de Vienne s'était isolé pour communiquer avec Langley, rejoignant ensuite Malko pour un second briefing. C'est ce dernier qui avait appris à Lili Panter qu'ils partaient tous pour la Grèce.

La jeune femme n'avait pas vraiment sauté de joie. Elle aurait préféré aller dans ce pays qu'elle adorait pour y profiter du ciel bleu, des bouzoukias et du shopping d'enfer. Moulée dans un tailleur de cuir ultra-court, elle prenait son petit déjeuner seule, visiblement morose.

– Vous n'avez pas d'autres informations? demanda Malko à Jack Ferguson.

– Si, dit l'Américain. On a retrouvé l'hélico. Il avait été loué par deux hommes se prétendant marocains. L'un d'eux avait sa qualification de pilote sur cet appareil. Ils avaient laissé une caution en cash au loueur, à Genève. L'hélico a été retrouvé dans un champ, non loin de Berne. Autre chose, Adnan Rashid avait reçu hier matin un coup de fil bizarre l'avertissant du transfert d'une somme d'argent. Egalement en provenance de Genève. L'appel venait d'une cabine publique. Or, à Genève, se trouve Mahmoud Al Takriti, le frère de Saddam Hussein, que nous considérons comme le véritable chef de toutes ces opérations clandestines...

Cela faisait beaucoup de coïncidences.

– Il faut absolument stopper l'opération Intiqam, conclut l'Américain. Les opinions publiques en Europe sont capricieuses. Une campagne de terreur pourrait avoir des conséquences politiques dramatiques.

« Sans compter les victimes... » se dit Malko.

– Avez-vous une idée sur la nature de cette opération Intiqam? demanda-t-il à l'Américain.

– A ce stade, nous ne pouvons que faire des suppositions, répliqua Jack Ferguson. Il s'agit sûrement de charges explosives ou de voitures piégées, placées dans des lieux publics et tuant au hasard des centaines d'innocents. Ou même des charges chimiques miniaturisées. Imaginez l'effet d'une vague de gaz asphyxiant dans le métro de Londres ou de Paris.

« C'est ce genre d'attentat qui frappe le plus les opinions publiques. Une telle campagne pourrait remettre en cause la solidité de la coalition anti-Saddam Hussein.

Malko prit congé de l'Américain et conduisit Lili Panter jusqu'à la Rolls, encadrée par deux voitures banalisées de la police autrichienne. Chris et Milton y étaient déjà installés. Cinq minutes plus tard, ils roulaient dans le tunnel de l'Arlberg. Lili Panter fumait nerveusement, regardant le paysage d'un air absent. La grosse voiture glissait silencieusement, conduite habilement par Elko Krisantem, déçu de ne pas être du voyage.

Malko regarda le ciel bleu. Cela n'allait pas être une sinécure que de faire parler le prisonnier d'Athènes. Même avec l'aide de la pulpeuse Lili. Une chose le troublait : Les Irakiens n'avaient sûrement pas renoncé à l'opération Intiqam. Abu Saif mort et Anouar Rashimi en prison, ils avaient forcément mis sur pied une troisième option. C'était cela qu'il fallait découvrir.

***

Mahmoud Al Takriti raccrocha son téléphone, écumant intérieurement de rage. L'équipe qu'il avait chargée de surveiller la veuve d'Abu Saif venait de l'appeler. La jeune femme allait s'embarquer pour Athènes, avec ses « baby-sitters ».

Donc, elle avait parlé.

Du moins sur un point précis.

Contenant sa fureur, il rédigea rapidement un message à l'intention de son homologue d'Athènes. Lorsqu'il l'eut remis au chiffreur, il demeura dans son bureau à broyer du noir. Il se sentait doublement coupable. D'abord de ne pas se trouver sous les bombes à Bagdad, avec ses amis, et ensuite d'avoir raté partiellement l'opération de liquidation de St-Anton. Ce qui pouvait entraîner de graves conséquences, si le Moukhabarat ne réagissait pas rapidement.

***

L'ambassade américaine au 91 de la grande avenue Vassilissis Sofias, juste avant d'arriver au *Hilton*, semblait née de l'accouplement contre nature d'un blockhaus et d'un temple grec. Quatre étages de béton gris entourés de colonnes et surmontés d'un toit plat.

Une Pontiac en plaque diplomatique était venue chercher Malko à l'aéroport d'Heraklion où il avait atterri en même temps qu'un Airbus d'Air France chargé de touristes fuyant le mauvais temps. La voiture s'arrêta pour laisser le temps à la sentinelle de baisser les énormes herses en ciment qui bloquaient toutes les entrées du bâtiment. Il y avait quotidiennement des attentats en Grèce, surtout contre les Américains, la plupart commis par un groupuscule gauchiste bénéficiant de l'indulgence du Pasok(1), le groupe du 17 Novembre, qui tuait et frappait depuis quinze ans...

Un homme en gris, assez corpulent, le nez chaussé de lunettes rondes à monture de fer, les cheveux légèrement frisés, descendit le perron et vint à la rencontre de Malko. Robert Alcorn, le chef de station d'Athènes. Lili Panter était restée à *l'Hôtel de Grande-Bretagne*, place de la Constitution, sous la garde de Chris et Milton.

– Bienvenue à Athènes! lança Robert Alcorn. Je vous attendais. Nous avons rendez-vous avec le procureur Constantin Vilitis.

– Qui est-ce?

L'Américain eut un geste un peu désabusé.

– Un des rares amis que nous comptions dans ce pays pourri par le Pasok. La police et la justice sont infiltrées par les gauchistes à un degré incroyable. Malgré le nouveau gouvernement théoriquement de droite, on n'arrive pas à grand-chose... A peine avais-je raccroché avec vous qu'il m'a appelé en demandant à me voir d'urgence. Je crains que ce soit lié à notre affaire.

– Pourquoi?

(1) Parti Socialiste grec.

– C'est lui qui instruit le dossier Anouar Rashimi. Venez.

Le bureau du chef de station se trouvait au quatrième étage. Une pièce spacieuse dont les fenêtres donnaient sur l'Acropole. Un homme au crâne bronzé et chauve, avec des sourcils très noirs, était déjà installé dans un fauteuil devant un café. Corpulent, fagoté dans un costume clair un peu trop juste, une serviette de cuir bouilli posée à terre à côté de lui.

– Je vous présente le procureur Constantin Vilitis, annonça Robert Alcorn. C'est lui qui représente le Ministère public dans l'affaire Anouar Rashimi.

Le magistrat grec serra la main de Malko avec un sourire un peu trop chaleureux et se rassit.

– Qu'est-ce qui vous amène, Constantin? demanda Robert Alcorn.

Le sourire s'effaça instantanément du visage du procureur.

– Une mauvaise nouvelle, dit-il. Le ministre de l'Ordre Public m'a transmis ce matin l'ordre de prononcer un non-lieu dans l'affaire Rashimi. J'ai tergiversé, mais je suis obligé de le signer avant ce soir.

– *Shit!*

Robert Alcorn dissimulait à peine sa fureur. Constantin Vilitis protesta d'un ton plaintif.

– Vous savez que je suis un ami sincère des Etats-Unis, mais dans un cas pareil, je ne peux rien faire.

– Que va donc devenir ce terroriste? interrogea Malko.

– Il sera libéré demain matin vers huit heures, expliqua le procureur. Comme aucune charge n'est retenue contre lui, il sera libre de faire ce qu'il veut. Je pense qu'il va quitter le pays, néanmoins.

– Et notre dossier de demande d'extradition? lança Robert Alcorn.

Constantin Vilitis lui adressa un geste désabusé :

– Vous savez bien que pas un gouvernement grec, de droite ou de gauche, n'acceptera d'extrader cet homme. Il y a trop de pressions extérieures. Les Libyens seraient capables de ne plus nous donner de pétrole à raffiner. Sans parler des attentats de représailles qui nous frapperaient. Moi-même, je serais le premier à risquer ma vie, bien que j'en aie déjà fait le sacrifice, ajouta-t-il noblement.

Comme pour se donner du courage, il acheva son Johnny Walker et regarda ostensiblement sa montre.

– Je ne pouvais pas faire moins que de vous prévenir, ajouta-t-il sur un ton pitoyable. J'espère que dans l'avenir, mon pays adoptera une position plus ferme à l'égard des terroristes.

C'était aussi probable qu'une union avec la Turquie, le voisin haï. Constantin Vilitis tendit une main moite aux deux hommes et s'esquiva. Robert Alcorn secoua la tête :

– Maintenant, je comprends mieux. Les Irakiens savaient sûrement que Rashimi allait être libéré quand ils ont flingué Abu Saif. Salauds de Grecs.

– Ils nous rendent peut-être un fier service, répliqua Malko. Ce n'aurait pas été facile d'interroger Anouar Rashimi dans sa cellule. Tandis que là...

– Que voulez-vous dire? Vous n'allez pas...

– Si, dit Malko. Nous savons à quel moment il est libéré. C'est facile d'aller l'attendre. Je suis certain que le charme conjoint de Chris et Milton fera merveille pour le convaincre de faire une petite escapade.

Robert Alcorn eut un haut-le-corps.

– Vous n'y pensez pas! S'il y a un pépin et qu'on découvre que des membres de la Company ont kidnappé un étranger sur le sol grec!

– Il faut trouver une sous-traitance, suggéra Malko. Au moins pour la partie la plus délicate. A propos, vous avez une photo de cet Anouar Rashimi?

– Bien sûr!

Il alla prendre une photo dans un tiroir et la tendit à

Malko. Celle d'un homme menottes aux poignets, encadré de deux policiers grecs. Un costaud avec une masse de cheveux gris, une grosse moustache noire et des verres fumés qui semblaient incroyablement épais. Son torse puissant était moulé dans un tricot de marin rayé porté sous une veste sans forme. Tandis que Malko examinait le document, Robert Alcorn se précipita soudain sur le téléphone et eut une brève conversation en grec. Lorsqu'il raccrocha, il paraissait un peu rasséréné.

– Nous avons rendez-vous pour déjeuner avec quelqu'un qui peut peut-être rendre votre projet un peu moins fou, annonça-t-il.

Il était juste trois heures et demie, l'heure où on se met à table à Athènes.

– Stephanis Dimitsanos est un ami sûr, annonça Robert Alcorn.

Durant le trajet, l'Américain avait expliqué à Malko que Stephanis Dimitsanos, politicien et industriel, servait souvent de « stringer » à la CIA.

Par pure conviction.

En arrivant, le chef de station s'était isolé au bar avec Dimitsanos avant de venir le présenter à Malko.

Malko serra la main de « l'ami sûr ». Un homme corpulent au visage rougeaud, le crâne entouré d'une couronne de cheveux gris, avec des yeux bleus sans cesse en mouvement, l'air survolté. Il occupait la table la plus retirée d'une élégante taverne – le *Gerofinikas* – nichée dans une des petites rues en pente du quartier Kolonaki.

Le restaurant, quasiment vide, était très sombre. Malko se dit qu'ils avaient l'air de conspirateurs. A la table voisine se trouvait un grand jeune homme vêtu de noir, qui ressemblait à un Afghan avec son abondante chevelure aile de corbeau, sa barbe et sa moustache fournies et son front bas. Figé devant un verre d'ouzo, le regard fixé sur la porte, on aurait dit une publicité pour la Mafia... Stephanis Dimitsanos se pencha vers Malko et lança d'une voix contenue :

– Vous voulez récupérer ce salaud de Rashimi à sa sortie de prison. Je crois que je peux vous aider...

– Comment? demanda Malko.

Le regard du Grec glissa vers le jeune homme en noir et sa voix baissa encore d'un ton.

– Vous voyez ce garçon? C'est Tsevas, mon garde du corps. Il vient de la région de Sparte et il n'a peur de rien. Je vous le prête. C'est lui qui convaincra Anouar Rashimi de venir avec vous.

– Chris et Milton suivront dans une seconde voiture, compléta Robert Alcorn, mais n'interviendront pas directement. Sauf s'il y a un gros pépin.

Stephanis Dimitsanos fixait Malko en avalant des olives à la vitesse d'une mitrailleuse.

– Alors? éructa-t-il.

– Ça paraît jouable, reconnut Malko. Et ensuite, que faisons-nous d'Anouar Rashimi?

Dimitsanos eut un sourire triomphant.

– Je possède une propriété à Sounion où personne ne viendra nous déranger. Quand vous aurez terminé avec lui, soit on le relâche, soit...

Il laissa sa phrase en suspens avec un rictus presque comique à force d'être sinistre. Il privilégiait visiblement la seconde hypothèse.

– Si nous allions d'abord reconnaître les lieux? suggéra Malko. C'est pour demain matin.

Il fallut encore subir des pâtisseries dégoulinantes de miel puis leur hôte commanda heureusement une bouteille de Moët pour terminer le repas d'une façon civilisée. Malko s'installa dans la Pontiac du chef de station qui se mit à suivre une Mercedes 190 où avaient pris place Dimitsanos et son garde du corps.

– Il est sérieux ce Dimitsanos? interrogea Malko.

Robert Alcorn eut un sourire indulgent.

– Je sais, il est un peu folklo... Mais c'est un garçon

sûr. Il nous a rendu pas mal de services et hait les gens du Pasok. Pour une opération ponctuelle, c'est parfait.

Ils filaient vers l'ouest d'Athènes, se rapprochant des montagnes pelées qui dominaient la ville, traversant d'abord un quartier minable, bordé d'entrepôts et de garages, avec de vieilles maisons croulantes. Maintenant ils suivaient l'avenue Grigoriou Lambrakis, du nom d'un député assassiné par la Junte des Colonels. Un coin un peu plus pimpant.

Un long mur gris apparut sur leur droite. Au moins huit mètres de hauteur sur près d'un kilomètre. Un vieux mirador ornait un des angles et on apercevait la coupole d'une église à l'intérieur de l'enceinte.

– Voilà la prison de Koridalos, annonça Robert Alcorn.

Ils longèrent le mur jusqu'à une petite voie qui remontait sur la droite – Odos Solomou – et Malko aperçut sur sa gauche un poste de police avec plusieurs véhicules bleus. Des policiers prenaient le frais sur le trottoir. Cent mètres plus loin, sur la droite, se trouvait une petite porte de fer : l'entrée principale de la prison de Koridalos. En face s'élevait un centre réservé aux délinquants juvéniles. Charmant environnement.

L'Américain continua de remonter la rue Solomou, débouchant sur les premiers contreforts de la montagne. Maintenant qu'il avait vu les lieux, Malko était réticent sur l'opération.

– Vous pensez que les policiers n'interviendront pas? demanda-t-il.

– Ils n'en auront pas l'occasion, affirma Robert Alcorn. Vous attendrez devant la porte dans une voiture fournie par Tsevas, avec de fausses plaques. Lorsque Rashimi franchira la porte de la prison, Tsevas sortira de la voiture et, sous la menace de son arme, l'y entraînera. Rashimi va voir un Grec; il pensera que ses copains lui ont envoyé quelqu'un. Une fois dans la voiture, vous filez et, s'il le faut, Chris et Milton barreront la route...

Ils redescendirent de l'autre côté de la prison et regagnèrent l'avenue Lambrakis. Un peu plus loin, la Mercedes tourna à droite et ils continuèrent vers le centre.

Un quart d'heure plus tard, Robert Alcorn déposa Malko au *Grande-Bretagne.* Lili Panter prenait l'air et le bruit sur le balcon-terrasse de la suite. Athènes était aussi bruyant que New York, les Grecs étant des maniaques de l'avertisseur. La jeune femme sursauta en entendant Malko, de toute évidence horriblement nerveuse. Un cendrier plein de mégots, à côté d'elle, en témoignait.

– Alors que se passe-t-il? demanda-t-elle. Vous n'avez plus besoin de moi. Pourquoi ne me faites-vous pas partir aux Etats-Unis? J'ai peur en Europe.

– J'ai peut-être encore besoin de vous, expliqua Malko.

Il lui détailla leur plan, concluant :

– Vous pourrez sûrement être utile pour « debriefer » Anouar Rashimi.

Lili Panter jeta un coup d'œil plein d'anxiété à Malko.

– Votre truc de kidnapping est très risqué. Je sais que l'Organisation du 15 Mai a des contacts au sein de la police et de la justice grecques. Au mieux, ils vont envoyer quelqu'un le prendre en charge, au pire, ils vont le faire accompagner par une voiture de police. Vous allez tirer sur des policiers grecs?

– Evidemment que non, protesta Malko. Je suis conscient des risques de cette opération. Si elle s'avère impossible, je « démonterai » à la dernière seconde. Seulement, je dois essayer.

Lili Panter haussa les épaules.

– *So viel, so gut!* C'est votre problème. Qu'est-ce que je vais faire, moi, pendant ce temps?

– Vous nous attendez à l'hôtel.

Elle se dressa, furieuse.

– Ça va pas, non! Vous croyez que mes anciens copains ne me surveillent pas. J'ai pas envie de me faire flinguer.

– Dans ce cas, vous pouvez aller à l'ambassade.

Elle hésita.

– Non, finalement je vais rester à l'hôtel.

CHAPITRE V

Malko émergea d'un des ascenseurs dans le grand hall rococo et solennel du *Grande-Bretagne*, un peu nerveux. Chris Jones et Milton Brabeck, qui le matin même avaient récupéré leur artillerie et par la même occasion le pistolet extra-plat de Malko, l'attendaient dans leur voiture de location, en double file devant l'hôtel. Malko déposa sa clef et, aussitôt, Tsevas surgit de derrière un pilier. Il s'inclina légèrement et, sans un mot, se dirigea vers la sortie.

Au moment de quitter le hall, l'attention de Malko fut attirée par une femme assise seule à une table, devant une tasse de thé. De longs cheveux raides très noirs, un visage enfantin à la peau incroyablement blanche avec une bouche rouge sang. Un Pierrot... Sa robe rouge comme sa bouche la moulait de très près. Son allure de Lolita accrochait le regard de tous les mâles. Comme il avait ralenti, Tsevas se retourna, vit à son tour la fille et, quand Malko arriva à sa hauteur, laissa simplement tomber :

– *Porna*(1)...

Des marches de l'hôtel, Malko admira quelques instants le ciel d'un bleu immaculé. La circulation était

(1) Une pute.

toujours aussi démente et les klaxons ne faiblissaient pas.

Tsevas se dirigea vers une Lancia bleue. Une voiture « sûre » équipée de fausses plaques. La bosse de son arme se voyait sous son costume strict. Malko prit le volant et le Grec s'assit à côté de lui. Au moment où il démarrait, Malko aperçut la fille aux longs cheveux noirs qui descendait tranquillement le perron. Seule. Tsevas s'était trompé. Dans le rétroviseur, Malko vit la voiture de Chris et Milton qui déboîtait.

Il tourna à gauche vers la place Omonia et, ensuite, par gestes, son guide lui indiqua la direction à suivre. Vingt minutes plus tard, il retrouvait l'avenue Lambrakis dont les deux voies filaient jusqu'à l'horizon rectiligne.

Il était huit heures moins vingt.

Malko leva le pied : ils étaient en avance, inutile de s'attarder devant la prison, au risque d'alerter les policiers. Ils approchaient. Malko entendit tout à coup un coup de klaxon bref derrière lui. Une voiture était en train de le doubler. A peine la voiture, une Fiat grise, eut-elle dépassé la Lancia de Malko qu'elle se rabattit en une brutale queue de poisson, s'arrêtant en travers de la chaussée. Malko écrasa le frein pour éviter de la percuter et parvint à stopper à quelques centimètres de la Fiat grise.

Du coin de l'œil, il vit surgir derrière lui une grosse moto montée par deux hommes équipés de casques intégraux. Une coulée glaciale dégringola le long de sa colonne vertébrale. Cela sentait mauvais. Puis, tout se passa très vite. Les deux occupants de la Fiat en jaillirent et s'enfuirent en courant vers l'autre partie de la chaussée. Malko les vit vaguement monter dans un véhicule qui attendait et démarra aussitôt en direction du centre ville.

Déjà la moto le dépassait. Il aperçut un autocollant représentant une fille nue sur le réservoir puis l'engin se rabattit à son tour et stoppa.

Le passager sauta à terre, brandissant un pistolet-mitrailleur polonais WZ 63. Il surgit devant le pare-brise de la Lancia. Malko n'eut que le temps de plonger sous le tableau de bord, sans même pouvoir sortir son pistolet extra-plat. Tsevas arrachait de sa ceinture son Browning à quatorze coups lorsque le pare-brise s'étoila sous les impacts. Une demi-douzaine de projectiles transpercèrent le malheureux garde du corps qui s'effondra sur son siège, perdant son sang comme une fontaine. L'attaque n'avait pas duré plus de trente secondes. Aplati sur la banquette, écumant de rage, Malko entendit le grondement de la moto, puis un hurlement de pneus. Il releva la tête et aperçut la haute silhouette de Chris Jones à côté de la voiture, brandissant son Desert Eagle.

– J'ai pas pu tirer, hurla-t-il, c'est plein de piétons.

Malko bondit à terre. La moto avait disparu sur l'avenue Lambrakis. Les voitures commençaient à s'arrêter. Dans trois minutes, la police serait là.

– Vite, dit-il, filons à la prison.

Laissant Milton Brabeck au volant, il sauta à l'arrière de la seconde voiture. Le gorille démarra sur les chapeaux de roues.

– On a vu ces salauds arriver! commenta Chris, mais on n'a pas eu le temps de réagir.

La Fiat abandonnée avait sûrement été volée... Dans un hurlement de freins, Milton tourna dans la rue Solomou, et stoppa trente secondes plus tard en face de la porte de la prison.

Malko bondit à terre. Personne en vue. Il sonna puis tambourina à la porte de fer et quelques instants plus tard, un gardien méfiant entrouvrit.

– Anouar Rashimi? demanda Malko.

Le Grec eut un geste flou, montrant l'horizon.

– *Exos!* dit-il avant de refermer.

Malko demeura muet de fureur quelques secondes. Ils s'étaient fait avoir en beauté.

– C'est une catastrophe, explosa Robert Alcorn. Non seulement les Grecs ont libéré Anouar Rashimi, mais ils ont sûrement prévenu ses amis pour éviter un pépin. L'attaque dont vous avez été victime n'était pas improvisée. Et les tueurs étaient probablement des Grecs. Un soutien local à l'Organisation du 15 Mai.

« J'ai convoqué le procureur Vilitis, il va passer ici avant d'aller à son bureau.

Malko avait déposé les deux gorilles avant d'aller annoncer les bonnes nouvelles au chef de station de la CIA.

– Vous pensez que les Irakiens vont encore tenter d'utiliser Anouar Rashimi? demanda Malko.

– Pourquoi pas? S'ils arrivent à l'exfiltrer. Nous avons perdu sa trace. Avec de faux papiers, c'est facile pour un terroriste expérimenté comme lui de se déplacer en Europe, par le train ou par la route. Je vais communiquer tout ce que nous savons de lui à nos homologues français, italiens, anglais, allemands, hollandais et belges. Même si cela ne sert pas à grand-chose...

Maintenant, ils repartaient vraiment à zéro. Les deux hommes restèrent à broyer du noir une dizaine de minutes jusqu'à ce que la secrétaire passe le nez à la porte.

– Mr. Constantin Vilitis est arrivé, annonça-t-elle.

Le procureur grec pénétra dans la pièce avec l'air de revenir d'une douzaine d'exécutions capitales. Ses traits étaient défaits, sa chemise froissée, et son teint gris. Il transpirait à grosses gouttes. Le sourire qu'il leur adressa ressemblait plutôt à une grimace.

– Je suis au courant de l'incident de l'avenue Lambrakis, annonça-t-il. Je pense que vous n'y êtes pas étranger. Je ne comprends pas ce qui s'est passé. Le prisonnier a été prévenu seulement une heure avant sa libération, il n'a pas eu la possibilité d'avertir qui que ce soit.

– Et le directeur de la prison?

– Il l'a su au dernier moment, lui aussi.

Un ange passa, en remuant de lourdes chaînes. Robert Alcorn et Malko fixaient le magistrat grec qui rêvait visiblement de se cacher sous la moquette.

– Que reste-t-il comme source d'indiscrétion possible dans ce cas? interrogea Malko.

Constantin Vilitis regarda ses chaussures.

– Le ministre de l'Ordre public... Il a des sympathies pour le Pasok.

Tout devenait clair. Le mouvement du 17 Novembre était le cône de déjection du Pasok et toute la classe politique grecque savait qu'il existait des liens étroits entre le groupe terroriste et le parti socialiste grec.

– Vous n'avez, bien entendu, aucune idée de l'endroit où peut se trouver maintenant Anouar Rashimi? demanda Robert Alcorn.

– Aucune, avoua le procureur. Il n'est plus poursuivi pour aucun délit.

– Vous ne pouvez pas essayer de vous renseigner quand même? insista l'Américain.

Le Grec se leva, comme s'il allait courir illico à la chasse aux informations.

– Je vous tiens au courant, promit-il.

Dès qu'il fut sorti, Robert Alcorn eut un soupir dégoûté.

– Si nous ne le retrouvons pas nous-mêmes, autant oublier.

– Vous pensez que ce n'est pas déjà trop tard? objecta Malko.

– Peut-être pas. Il ne va pas se pointer à l'aéroport, nous y avons trop d'informateurs et on le repiquerait à sa destination finale. Sauf s'il part dans un pays arabe.

« Je crois plutôt qu'il va se planquer à Athènes le temps qu'on lui prépare des faux papiers et un itinéraire sûr. Ça nous laisse une petite chance.

« Sauf que nous n'avons aucune piste.

Autant chercher une aiguille dans une meule de foin : la moitié de la population grecque vivait à Athènes et dans sa banlieue.

Quant aux frontières, même si on excluait l'Albanie, pas vraiment accueillante, il restait la Turquie, la Yougoslavie et les innombrables ports...

Sans tuyau sûr, ils n'y parviendraient jamais.

– Vous avez une idée? demanda Malko.

– Oui, dit Robert Alcorn. Notre meilleure contact dans la police grecque. La secrétaire du patron de la Criminelle, Christina Balassis. Je vais alerter tout de suite son traitant.

Il sortit du bureau et réapparut cinq minutes plus tard.

– John va utiliser la procédure d'urgence pour la joindre. On sera fixés dans une demi-heure. Grâce à elle, nous avons une chance de remettre la main sur Rashimi, s'il est toujours là.

– C'est une idéaliste, comme votre ami Stephanis?

L'Américain eut un sourire entendu.

– Pas vraiment. Bien qu'elle adore tous les présidents des Etats-Unis. Surtout ceux qui se trouvent sur les billets de cent dollars. Je me demande ce qu'elle fait de son argent. Elle est toujours habillée comme l'as de pique et habite un studio minuscule dans la rue Demokriton.

– Voilà, annonça Robert Alcorn. Christina Balassis vous attend dans une heure, à onze heures, au monastère de Saint-Georges. John, son traitant, va vous accompagner. Bonne chance.

Toutes les radios grecques ne parlaient que de l'attentat de l'avenue Lambrakis.

On l'attribuait au groupe du 17 Novembre, hypothèse renforcée par la personnalité du mort, Tsevas, connu comme homme de main des organisations de droite. Pas un mot sur la présence éventuelle d'étrangers. Ce qui ne voulait pas dire que la police ne soit pas au courant.

Malko avait juste le temps de repasser au *Grande-Bretagne* se changer : son costume d'alpaga était littéralement criblé de minuscules débris de verre, conséquence de l'explosion du pare-brise de la Lancia.

La suite était vide. Il découvrit Milton, Chris et Lili Panter au bar du rez-de-chaussée. Les deux gorilles devant un verre de lait, elle en face d'un énorme verre rempli de Cointreau et de glaçons. Lili lui sauta littéralement à la gorge.

– Maintenant vous n'avez vraiment plus besoin de moi, lança-t-elle. Je déteste la Grèce. Je n'en peux plus d'être dans cet hôtel, avec ces gros singes. Quand est-ce que je pars aux USA?

Milton et Chris, qui se croyaient élégants dans leur costume de shantung gris légèrement brillant avec une chemise blanche et la cravate assortie au costume, faillirent envoyer leur lait sur la moquette usée. Malko la fixa froidement.

– Ces gros singes vous évitent de prendre une balle dans votre jolie tête, répliqua-t-il. Je peux encore avoir besoin de vous. Tant que nous aurons une chance de retrouver Anouar Rashimi. Ensuite, vous aurez tout le temps de vous faire débriefer à la « Ferme » de Langey. Ils bavent déjà d'excitation à l'idée de ce que vous allez leur raconter...

– Qu'est-ce qu'on va faire en attendant?

– Moi, j'ai un rendez-vous, précisa suavement Malko, mais je pense que ces deux gentlemen pourraient vous emmener au *Dyonisos*, juste en face de l'Acropole. Ensuite, vous pourrez visiter. C'est un des plus beaux endroits du monde.

Milton Brabeck leva le nez.

– Le truc tout démoli? Ils feraient mieux de le revendre aux Japonais. Ils le retaperaient en un rien de temps.

Le monastère de Saint-Georges était piqué en plein centre d'Athènes, au sommet d'une colline où on accédait par un funiculaire déjà bourré de touristes. Malko déboucha sur l'esplanade, le souffle coupé par la vue magnifique : tout Athènes, de la mer à la montagne, avec l'Acropole dans le lointain. Il était escorté d'un jeune boutonneux tiré à quatre épingles : le contact de la Company avec Christina. C'était noir de monde, avec les inévitables Japonais, caméra au poing. Le boutonneux examina les lieux et fonça vers un parapet surplombant le vide.

Malko le rejoignit près d'une femme en tailleur gris, assise sur la rambarde dominant l'ouest d'Athènes. Elle portait de grosses lunettes d'écaille, un sac sans forme, des collants filés et des chaussures qui semblaient avoir fait tout le Kurdistan.

– Voici Christina Balassis, annonça le boutonneux. Christina, c'est Malko qui désire bavarder avec vous.

La jeune Grecque tendit une main aux longs ongles rouges et esquissa un sourire. Son rouge mis n'importe comment la barbouillait jusqu'au nez. A peine les présentations faites, le boutonneux s'éclipsa vers le funiculaire.

– Que voulez-vous savoir? demanda l'informatrice de la CIA avec un léger accent.

Derrière ses lunettes son regard pétillait, malicieux et gai. Il se dit qu'elle avait tort de réunir ses cheveux en chignon, ce qui accentuait son air sévère.

– Je veux retrouver Anouar Rashimi.

– J'ai entendu quelques trucs à ce sujet, dit-elle. Nous savons ce qui s'est passé. La rumeur a couru que les Américains avaient décidé d'enlever cet Arabe. Il a prévenu ses copains et ils vous ont tendu une embuscade en le recueillant.

– Qui?

– Les gens du 17 Novembre, évidemment. Mais il y avait peut-être des Arabes avec eux. Ou des Albanais.

Ce sont eux les tueurs. Les Grecs sont trop prudents. Les Albanais, on les recrute à la sortie du métro du Pirée, place Omonia. Des types entrés clandestinement qui n'ont ni papiers ni travail. Il suffit de leur donner une arme et de les convaincre.

– La police va enquêter?

Christina Balassis alluma une cigarette et souffla la fumée avec un sourire narquois :

– Comme d'habitude! Seulement depuis quinze ans on n'a jamais arrêté personne. Ils sont toujours prévenus d'avance.

– Avez-vous une idée de l'endroit où cet Anouar Rashimi pourrait se trouver maintenant?

La jeune femme hocha la tête.

– S'il est resté à Athènes, dans une planque du 17 Novembre. Seulement ils en possèdent des dizaines. Dans tous les coins de la ville. Si vous n'avez pas un tuyau pour démarrer, vous ne trouverez jamais.

– Vous pouvez apprendre quelque chose rapidement?

– Je vais essayer. Je travaille jusqu'à 3 heures.

– Voulez-vous déjeuner avec moi, ensuite?

Christina Balassis sembla ravie de la proposition.

– D'accord. Maintenant je retourne au bureau...

Ils redescendirent par le funiculaire et Malko lui proposa de la raccompagner.

– Je suis garé à côté de la place Kolonaki, annonça-t-il.

Ils partirent dans les petites rues escarpées menant à la place Kolonaki, pullulant de boutiques chics. L'une d'elles offrait toutes les dernières créations de Claude Dalle, moins cher qu'à Paris, inaugurée par le décorateur venu dans son jet privé. Christina Balassis loucha sur un superbe bar en glace fumée avec des incrustations de nacre et, un peu plus loin, tomba en arrêt devant la vitrine d'un magasin. Une boutique de lingerie particulièrement bien achalandée.

– Oh, ils ont reçu les nouveaux modèles! s'exclama-t-elle, extasiée.

Elle regardait des soutien-gorges balconnets de La Perla absolument superbes. Elle se tourna vers Malko.

– Vous permettez? J'en ai pour une minute.

C'était inattendu chez une femme qui ne semblait pas prendre un soin extrême de sa personne.

Malko la suivit dans la boutique où elle choisit un soutien-gorge de dentelle noire après avoir joué avec toute la parure qui le complétait. Amusé, Malko tendit à la vendeuse un slip assorti, un porte-jarretelles et plusieurs paires de bas.

– Nous prenons ça aussi.

Christina Balassis lui expédia un regard surpris :

– C'est pour votre amie?

– Non, dit Malko, pour vous.

Elle se troubla visiblement.

– Je n'ai pas les moyens d'acheter tout cela...

– Je vous l'offre.

Elle ne dit rien, prit son paquet et cinq minutes plus tard, ils récupéraient la nouvelle voiture de location de Malko, une Ford Escort.

– Vous venez me chercher à 3 heures et demie, proposa-t-elle. Chez moi. Je descendrai.

A Athènes, on déjeunait entre 3 et 4 et on dînait vers minuit...

Malko se trouvait depuis cinq minutes en bas de chez Christina Balassis quand la jeune femme fit son apparition. C'est tout juste s'il la reconnut. Débarrassée de ses lunettes, les cheveux sur les épaules, une bouche merveilleusement maquillée qui faisait ressortir une lèvre supérieure épaisse pleine de sensualité. Sanglée dans un tailleur blanc ultra-court d'où émergeaient des jambes gainées de bas à couture terminés par des escarpins de folie.

Plus rien à voir avec la terne employée du matin. Lorsqu'elle s'assit dans la Ford, la veste de son tailleur s'entrebâilla et il put voir qu'elle ne portait dessous que le soutien-gorge acheté un peu plus tôt. Copieusement rempli.

Elle adressa un sourire radieux à Malko.

– Je suis si contente, comme je fais du 95, je ne trouve jamais de soutien-gorge à ma taille.

Le tissu très fin de la jupe dessinait les serpents des porte-jarretelles, ce qui acheva de le troubler.

– Vous avez appris quelque chose? demanda-t-il.

– Pas encore, dit-elle. J'ai lancé des filets... Vous savez comment aller au Pirée?

Il savait. Elle posa son sac entrouvert sur le plancher et il aperçut la crosse d'un petit pistolet.

– Vous êtes toujours armée?

– Oui. Si un jour le groupe du 17 Novembre découvre que je travaille pour les Américains, ils me tueront. Ou ils essaieront.

L'avenue Syngrou, rectiligne et bordée de néons, semblait interminable. Malko ne pouvait s'empêcher de regarder les cuisses de la jeune Grecque, découvertes très haut par la jupe. Agréable récréation. Quelques heures plus tôt, il avait échappé à la mort de justesse. Christina se retournait souvent.

– Il faut se méfier des motos, expliqua-t-elle. Les tueurs du 17 Novembre travaillent souvent comme cela.

Ils atteignirent enfin le Pirée. La plupart des restaurants de poisson bordant les marinas étaient déserts. Les touristes déjeunaient plus tôt. Christina finit par en désigner un à Malko et il se gara. Elle descendit la première ce qui lui permit d'admirer une croupe ferme et cambrée. Ce corps admirable était dissimulé dans la journée sous le tailleur sans forme.

Une double personnalité.

On les installa en bordure d'une salle vide d'où ils pouvaient admirer les barques et les voiliers. Au fond, un pianiste payé au décibel tapait comme un sourd *Les Enfants du Pirée*. Tranquillement, Christina assise en face de Malko ouvrit la veste de son tailleur.

– Il est un peu juste, fit-elle avec un sourire d'excuse.

Ses seins lui sautèrent au visage et leur vue perturba considérablement le maître d'hôtel qui se mit à bredouiller. Malko était fasciné par les deux berceaux de dentelle noire. Son regard accrocha celui de Christina où dansait une drôle de petite lueur.

– Vous n'avez pas faim? demanda-t-elle. Le poisson est excellent ici.

*

Le pianiste redoublait d'activité, exécutant tous les airs du folklore grec après les avoir longuement torturés. Malko refrénait depuis un moment une furieuse envie de prendre le pistolet de Christina et de faire un carton. Plus le déjeuner avançait, plus il se disait qu'il n'avait pas fait progresser son enquête d'un pas. Or, chaque minute comptait.

Soudain, il repensa au personnage étrange qu'il avait croisé au *Grande-Bretagne*, juste avant son départ.

– Il y a beaucoup de putes au *Grande-Bretagne*? demanda-t-il.

Une ombre de reproche passa dans les yeux noirs de la Grecque.

– Pourquoi? demanda-t-elle en riant. Vous en avez besoin?

– Absolument pas. Mais j'ai croisé une femme étrange, ce matin avant de partir à la prison. Le Grec avec qui j'étais m'a dit que c'en était une. Petite, très brune, de longs cheveux sur les épaules et maquillée comme un Pierrot : un teint crayeux et une bouche très rouge.

Christina planta sa cuillère dans sa glace, le regard soudain aigu.

– Vous pourriez la reconnaître?

– Sûrement. Pourquoi?

– La description que vous me donnez ressemble à celle de la fille d'un ancien des Brigades internationales, surnommé Pablo, un vieux monsieur qui s'est retiré à Athènes. Electra Yonnis. On l'a toujours soupçonnée d'être liée au 17 Novembre. J'ai vu passer plusieurs rapports à son sujet. Ce doit être une coïncidence.

Malko se pencha à travers la table, brusquement tendu.

– Il n'y a pas de coïncidences dans notre métier, fit-il. Vous savez où on peut trouver cette fille?

– Oui.

CHAPITRE VI

Brusquement, Malko ne vit plus la bouche rouge provocante, ni les seins lourds et épanouis offerts sur le balconnet de dentelle. Christina Balassis ne semblait pas réaliser l'importance de ce qu'elle venait de dire. Si la fille en rouge était mêlée à l'attentat contre Malko, elle savait peut-être où se terrait Anouar Rashimi. Il n'y avait donc pas une seconde à perdre.

– Vous plaisantez? demanda-t-il.

Elle secoua ses cheveux de jais.

– Pas du tout. Athènes est une petite ville. Electra Yonnis passe presque toutes ses soirées dans un des cafés de la place Kolonaki, le *Lykourissi.*

– A partir de quelle heure?

– Neuf, dix heures.

Il était à peine cinq heures et demie.

– A part vous assurer qu'il s'agit bien de la même personne, que voulez-vous faire? demanda Christina Balassis.

– Si c'est elle, répliqua Malko, ce ne peut être une coïncidence. Donc, elle est impliquée dans l'affaire. Je n'ai pas le temps d'attendre le résultat d'une enquête de police. Il faut la « tamponner » directement. Essayer de pénétrer son cercle.

« Si elle pouvait nous mener jusqu'à Anouar Rashimi...

Christina Balassis le regarda avec un peu d'ironie.

– Ce n'est pas vous qui pouvez la « tamponner ». Elle vous a déjà vu au *Grande-Bretagne* et si elle est impliquée dans cette affaire, elle va savoir immédiatement de quoi il retourne. Et cela peut devenir dangereux très vite. Vous avez vu leurs réactions ce matin.

Malko pensa soudain à Lili Panter. C'était la seule à pouvoir jouer la chèvre. Depuis son arrivée à Athènes, elle n'était pratiquement pas sortie de sa chambre. Il fit part de son idée à Christina qui approuva avec un sourire entendu.

– Vous ne pouvez pas savoir à quel point c'est une bonne idée. Electra Yonnis est beaucoup plus attirée par les femmes que par les hommes... Elle drague comme un homme les touristes esseulées. Maintenant, je ne sais pas si elle parle sur l'oreiller...

– Ça ne coûte rien d'essayer, remarqua Malko.

Sauf à Lili Panter...

Christina posa légèrement la main sur la sienne.

– De toute façon, il est trop tôt, dit-elle. Relaxez-vous. On s'occupera de cela plus tard.

– Je vais d'abord m'assurer que Lili Panter est d'accord, fit Malko. Repassons au *Grande-Bretagne*.

Le pianiste plaqua un accord final retentissant pour saluer leur départ. Dans l'ascenseur qui les ramenait au rez-de-chaussée, Christina se rapprocha soudain de Malko, sa bouche frôlant la sienne.

– Merci pour ce merveilleux déjeuner et pour vos cadeaux de ce matin.

Le contact de ce corps tiède et parfumé, la voix volontairement provocante et la lueur qui dansait dans les yeux de l'informatrice de la CIA embrasèrent Malko. Il eut le temps de poser la main sur une hanche pulpeuse, d'explorer la masse tiède des seins plantureux avant que la cabine ne s'arrête. Il sentit le corps de la jeune femme s'abandonner contre lui, le pubis en avant, et son souffle se précipiter. En quelques fractions de secondes, il fut prêt à la prendre et elle le comprit.

C'était sa réaction habituelle après avoir couru un danger : une furieuse envie de faire l'amour. Christina s'en aperçut et sa grosse bouche s'ouvrit sur un sourire sensuel.

– Nous avons le temps, dit-elle. Je vais vous montrer où habite Electra Yonnis.

Il leur fallut effectuer un détour compliqué par le haut de la corniche Falico, pour retrouver le bord de mer. Christina Balassis s'arrêta avant un petit immeuble de marbre visiblement tout neuf, au fond d'un jardin.

– C'est là, fit-elle.

Ils repartirent en direction de l'avenue Syngrou. Du coin de l'œil, Malko aperçut la jupe remontée très haut sur les cuisses gainées de nylon noir. A ce moment, Christina tourna la tête et, en même temps, ouvrit légèrement les jambes, d'un geste plein d'abandon. Malko eut l'impression qu'un torrent se ruait dans ses artères. Comme guidé par ce regard magnétique, il allongea la main et la posa en haut d'une des cuisses. Christina émit un soupir rauque et glissa un peu en avant sur son siège, ce qui eut pour effet de mettre sa peau nue au-dessus du bas en contact avec les doigts de Malko. Au même moment, comme si elle avait trop chaud, elle ouvrit la veste de son tailleur, faisant jaillir ses seins pleins à peine emprisonnés par le soutien-gorge.

Elle aurait eu écrit « baise-moi » sur le front, c'eut été moins direct. Malko continua à remonter l'avenue Syngrou en zigzaguant légèrement, une main enfouie entre les cuisses de la jeune femme. Celle-ci, les yeux fermés, la respiration saccadée, ondulait sous ses doigts. Lorsqu'il stoppa en face du *Grande-Bretagne*, elle était au bord de l'orgasme.

– Vous en avez pour longtemps? demanda-t-elle.

– Non, je ne pense pas.

– Je vous attends. Ensuite, je vous offre un verre d'ouzo à la maison. Et je viendrai avec vous place Kolonaki. Il vaut mieux que vous ne vous montriez pas. J'accompagnerai votre amie pour lui désigner Electra Yonnis.

– D'accord.

– Faites vite, ajouta-t-elle d'une voix rauque.

Lili Panter fumait une cigarette devant un verre de Cointreau dont elle n'avait laissé que les glaçons. Visiblement de méchante humeur. Elle écouta la proposition de Malko sans l'interrompre et répliqua :

– Qu'est-ce que cela va me rapporter?

– Que voulez-vous?

– De l'argent. Pour ma mère. Cent mille dollars.

– D'accord, approuva Malko. Je m'en porte garant. Vous savez ce que j'attends de vous?

Elle haussa les épaules.

– Evidemment, mais cette fille n'est pas une conne. Elle ne va pas se confier à la première venue. Même si...

Lili Panter laissa sa phrase en suspens, prête à s'étrangler de fureur. Visiblement, elle aurait préféré faire la chèvre avec un bouc...

– Je sais que le résultat est hasardeux, reconnut Malko, mais vous pouvez surprendre un coup de téléphone, une conversation, recueillir un indice. Nous vous couvrirons à bonne distance, mais je ne pense pas que vous risquiez grand-chose.

– Sauf de me faire sauter, coupa Lili Panter.

– Si le contact a lieu, continua-t-il, feignant de ne pas avoir entendu, dites que vous accompagnez votre mari en voyage d'affaires et qu'il est parti deux jours en Crète. A tout à l'heure. Ici, vers neuf heures.

Christina Balassis semblait somnoler dans la voiture, mais quand Malko s'assit, elle lui coula un regard à faire bander un Ayatollah en décomposition. Il lui sembla que sa jupe avait encore remonté sur ses cuisses.

– Vous avez été bien long.

Cinq minutes plus tard, il s'arrêtait devant chez elle. Malko monta les trois étages sans ascenseur comme tiré par les hanches en amphore qui se balançaient devant lui. Il découvrit un studio coquet avec un grand canapé bas, des glaces partout et une grande télé Samsung dans un coin. A peine furent-ils entrés qu'elle se débarrassa de la veste de son tailleur et vint se coller à Malko.

– J'ai envie de vous embrasser partout, murmura-t-elle.

Elle commença par la bouche, puis se mit à le déshabiller avec une dextérité incroyable. Malko avait plongé dans le soutien-gorge de dentelles et jouait avec les deux seins en poire d'une fermeté admirable. Quand il se mit à en torturer habilement les pointes, Christina gémit de plus en plus fort. Ses jambes partaient dans tous les sens, elle avait des soubresauts d'hystérique. Elle se rua sur lui en ôtant ce qui lui restait, le prit dans sa bouche avec une violence presque inquiétante.

Comme il était gêné par l'étroite jupe droite du tailleur, d'un bond, Christina se leva, défit son zip et s'en débarrassa d'un coup de pied. Les bas offerts par Malko remontaient très haut sur ses cuisses, accrochés par les larges serpents noirs du porte-jarretelles. Elle approcha son ventre à la hauteur du visage de Malko, en une invite muette.

Il plongea dans le buisson parfumé et Christina se mit à couiner en grec, se tordant comme une liane. Dans la glace, il voyait ses fesses somptueuses s'agiter comme si un partenaire invisible la prenait. Elle s'arracha à lui, tombant à genoux, l'avalant avec fureur. Malko lui avait laissé son soutien-gorge, sortant juste des pointes sombres et grosses comme des crayons. De temps à autre, il s'en emparait et elle criait encore plus fort. Tout à coup, elle se jeta à plat ventre sur le couvre-pied de guanaco, leva la croupe et lança d'une voix suppliante :

– Viens. Prends mes fesses.

Rarement, on lui avait fait cette demande d'une façon aussi directe... Il s'agenouilla derrière elle, fou de désir, provisoirement déconnecté de ses problèmes. Accomplissant son rituel d'exorcisme de la mort.

– Viole-moi, lança Christina. D'un seul coup.

L'image de leur couple, renvoyé par la glace, était d'un érotisme ravageur. Malko la pénétra d'une seule poussée. Elle répondit par un râle de plaisir, les mains crispées sur la fourrure. Puis, lentement, comme un fauve qui s'étire, elle releva les reins, se mettant à quatre pattes. C'est dans cette position que Malko commença à la pilonner, tandis qu'elle hurlait de plus belle. Jusqu'à ce qu'il explose dans un éblouissement de plaisir.

A peine se fut-il retiré que Christina se jeta sur son sexe et l'aspira d'une bouche gourmande, avec la ferme intention de le ranimer. Ce qui ne fut guère difficile. Cette femme qu'il connaissait depuis cinq heures et qui se donnait à lui aussi totalement, c'était absolument grisant.

De nouveau, Christina se leva, sculpturale avec ses longs bas noirs et son soutien-gorge débordant puis alla s'appuyer au mur, tournant le dos à Malko.

– Prends-moi comme ça, dit-elle. Debout.

C'était encore meilleur. Il n'en finissait pas d'aller et venir dans ses reins, les mains crispées dans ses hanches. Peu à peu, la jeune femme se laissa glisser le long du mur pour se retrouver allongée à même le sol. Les coups de Malko arrivaient encore plus forts car il n'y avait plus aucune élasticité.

Christina hurlait.

Lui avait l'impression de l'ouvrir en deux. Quand il explosa, ils étaient tous les deux couverts de sueur. Les jambes ouvertes en compas, elle roula encore un peu des hanches puis soupira d'une voix mourante :

– Je n'avais pas baisé depuis un mois!

– Pourquoi?

– J'ai rompu avec mon copain. J'étais très triste. Quand je suis comme cela, je vais m'acheter des dessous. Regardez.

Elle se leva et ouvrit une armoire : les tiroirs débordaient de parures toutes plus affriolantes les unes que les autres, de toutes les couleurs, de toutes les formes. La jeune Grecque se rapprocha de Malko et dit :

– Vous ne pouvez pas savoir comme cela m'a excitée quand vous m'avez offert ça tout à l'heure. J'ai cru que j'allais jouir dans la boutique. J'ai eu immédiatement envie de baiser avec vous, je suis folle de lingerie. Je me ruine.

Voilà donc à quoi passait l'argent de la CIA... Il aurait pu avoir un plus mauvais usage.

Christina ressortit de la salle de bains quelques minutes plus tard, drapée dans un déshabillé de satin noir, avec toujours ses bas et son soutien-gorge. Malko, qui s'était rhabillé, se sentit tout bête. Elle alluma une cigarette et souffla la fumée.

– Il n'est que huit heures, nous avons encore le temps.

Ils se mirent à écouter des bouzoukis en grignotant des amandes; Malko, même sans désir, éprouvait un plaisir inouï à caresser le corps superbe de sa partenaire qui recommençait à frémir. Peu à peu, la conscience professionnelle reprenait le dessus.

– Il faut y aller, dit-il.

– Je vais me changer, dit Christina Balassis.

Lorsqu'elle réapparut, elle portait un jean et un pull sous lequel elle avait quand même gardé son soutien-gorge La Perla... Pas de sac, mais un minuscule holster collé à la peau, sous le pull.

Christina Balassis avait attendu dans la voiture de Malko en face du *Grande-Bretagne*. Malko revint avec Lili Panter et fit les présentations. Froides.

– Je vais vous désigner cette femme, expliqua la Grecque. Installez-vous à une table pas trop loin, mais n'éveillez pas son attention. Attendez qu'elle vous parle.

Lili Panter jeta un regard noir à Malko. Elle semblait de plus en plus nerveuse. Celui-ci démarra, sans lui laisser le temps de se reprendre. Chris et Milton suivaient, dans une Nissan de location. Enfouraillés jusqu'aux yeux. Ils se garèrent dans la rue Souidias d'où ils pouvaient surveiller les trois grands cafés.

– Je vais voir si elle est là, lança Christina.

– J'espère bien que non, grommela Lili Panter.

Malko la regarda s'éloigner de sa démarche balancée, suivie par tous les regards masculins. Cinq minutes plus tard, elle était de retour.

– Elle est à sa table habituelle, avec des copains. Il y a des places libres autour.

– Allez-y, Lili, dit Malko. Et bonne chance.

La jeune Autrichienne descendit et claqua la portière sans un mot, disparaissant dans la foule. Ils la virent pénétrer sous la tente abritant la terrasse du *Lykourissi*. Les dés étaient jetés.

Deux heures s'étaient écoulées. Malko avait envoyé Chris et Milton se restaurer et attendait leur retour pour en faire autant. Christina Balassis sortait de temps en temps de la voiture pour aller surveiller la terrasse du *Lykourissi* de plus près. Il la vit revenir en courant presque. Elle se laissa tomber dans la voiture.

– Ils s'en vont, souffla-t-elle. En taxi. Vite, j'ai relevé le numéro.

Malko démarra et doubla la file des taxis en stationnement devant le *Lykourissi*.

– C'est celui qui descend vers Ploutarchou, lança Christina.

Malko le recolla facilement. Ils filaient vers la Place de la Constitution. Là, ils tournèrent à droite dans l'avenue Stadiou.

– J'ai l'impression que ça marche, exulta Christina Balassis. On dirait deux vieilles copines.

Ils arrivèrent à la place Omonia et le taxi continua dans les rues étroites d'un quartier populaire pour s'arrêter sur une petite place triangulaire presque entièrement recouverte de terrasses de café. Electra Yonnis descendit du taxi en compagnie de Lili Panter et gagna une table où se trouvait déjà un homme d'âge moyen au front dégarni avec les cheveux très longs, style hippie prolongé. Il embrassa Electra et serra la main de Lili Panter.

Malko arriva à se garer et ils trouvèrent une place au café d'en face.

– C'est la place Karaskali, dit Christina Balassis. Le quartier des voyous.

– Vous connaissez l'homme qu'Electra a retrouvé?

– Non.

Les trois étaient maintenant en grande conversation. A part les cafés, le quartier était complètement mort. Sur la place Omonia quelques noctambules attendaient la première édition des journaux du matin. Malko observa le trio. Se demandant comment Lili allait réagir si les choses allaient plus loin. Il avait de la peine à croire que cette Electra qui semblait si innocente soit mêlée à une affaire sanglante de terrorisme. S'il se trompait, Lili Panter en serait quitte pour une expérience sexuelle nouvelle.

Au bout d'une heure, le trio se leva. Au bord du trottoir, l'homme prit congé des deux femmes, et partit à pied.

– Qu'est-ce qu'on fait? demanda Christina.

Electra venait d'arrêter un taxi, et les deux femmes y montaient.

– Prenez ma voiture et suivez-les, dit Malko, je m'occupe de l'homme.

Ce dernier s'éloignait dans une rue étroite pleine de bars à putes et de petits hôtels. Cent mètres plus loin, il pénétra dans un immeuble qui ne payait pas de mine. Quelques instant plus tard, une lumière s'alluma au second.

Malko attendit un peu, puis il pénétra à son tour dans le couloir qui sentait l'huile d'olive. Il craqua une allumette, découvrant plusieurs boîtes aux lettres avec des noms. Malko lisait l'alphabet grec : il les releva tous et les nota, sans savoir à quel étage ils correspondaient. Ensuite, il se lança à la recherche d'un taxi.

Les gorilles devaient toujours poireauter place Kolonaki.

Le téléphone sonnait quand Electra Yonnis poussa la porte de son appartement.

– *Make yourself comfortable!*(1) lança-t-elle à Lili Panter avant de se précipiter vers l'appareil posé sur le rebord de la demi-cloison séparant la cuisine du grand studio.

Lili Panter s'assit sur le bord du lit, l'estomac noué. Jusque-là, tout avait marché comme sur des roulettes. Au café, Electra était venue lui demander où elle avait acheté son tailleur. Le reste avait coulé de source et, après avoir mangé des spaghetti, sa nouvelle amie lui avait proposé d'abord de rencontrer un copain, et ensuite de venir écouter de la musique chez elle. Pas un geste déplacé, mais un regard un peu trop fixe et enveloppant, posé parfois sur elle. Electra parlait très bien anglais ce qui faciliterait les choses. Mais elle l'avait draguée comme un homme.

Sa conversation terminée, elle revint vers Lili, apportant un plateau avec une bouteille de Moët millésimé et

(1) Installez-vous!

deux verres. Pendant que Lili versait le champagne, elle mit en route une mini-chaîne Akai et le folklore grec envahit la pièce. Electra revint alors s'asseoir en face de Lili, et la fixa longuement. Semblant en proie à un profond trouble intérieur. Puis son regard s'éclaircit, et Lili crut voir celui d'un homme.

– Vous savez que vous avez une poitrine admirable, remarqua d'une voix douce et égale la jeune Grecque.

Lili n'eut pas le temps de répondre à ce compliment direct. Les deux mains d'Electra s'étaient glissées sous son pull avec une symétrie parfaite. Des doigts agiles firent jaillir du soutien-gorge les pointes de ses seins, et deux ongles aigus s'y posèrent, juste là où il fallait. Malgré elle, Lili fut secouée d'une onde violente de plaisir et ferma les yeux. Quand elle les rouvrit, la bouche d'Electra s'écrasait sur la sienne.

Lorsque Malko, ayant récupéré Chris et Milton, arriva en face du *Grande-Bretagne*, il aperçut tout de suite sa voiture garée en double file, Christina Balassis au volant.

– Elle l'a emmenée chez elle, annonça-t-elle lorsque Malko la rejoignit, après avoir envoyé les gorilles se coucher.

C'était inespéré. Il n'y avait plus qu'à attendre que Lili réapparaisse.

– Ce genre de chose lui arrive souvent? interrogea Malko.

– Oui, je crois. Mais je ne crois pas qu'elle va lui raconter sa vie. Elles auront mieux à faire.

– Bien, fit-il, je vous raccompagne.

Avant de la quitter, il lui tendit le papier sur lequel il avait noté tous les noms des locataires de l'immeuble où était entré l'ami d'Electra Yonnis.

– Pouvez-vous cribler tous ces gens très vite? demanda-t-il, après lui avoir expliqué la raison.

– Je vais essayer, dit-elle. Retrouvons-nous demain, à

midi, à la cafétéria du *Hilton*. J'irai tôt au bureau pour utiliser l'ordinateur de la police de l'Attique.

Ils se quittèrent sur un baiser presque chaste.

La manchette du *Elefteros Typos*, reprenant celle du *Herald Tribune*, annonçait que deux bombes laser avaient touché un abri à Bagdad, tuant près de cinq cent personnes, toutes civiles, femmes et enfants compris. Malko, qui venait de terminer son breakfast, repoussa les journaux. Cela faisait vingt-quatre heures qu'Anouar Rashimi était dans la nature... Le pilonnage de l'Irak n'allait pas calmer Saddam Hussein. Son opération Intiqam était plus que jamais d'actualité.

Lili Panter n'était pas rentrée et n'avait pas téléphoné.

Avant de descendre pour aller à son rendez-vous, il appela Chris Jones.

– Voilà l'adresse d'Electra Yonnis. Un petit immeuble moderne de quatre étages. Prenez la Nissan et allez là-bas planquer, sans vous faire repérer. Milton reste ici pour la liaison.

– Mais je ne connais pas cette Grecque! objecta le gorille.

– Non, mais vous connaissez Lili. Au pire ça lui évitera de prendre un taxi.

Christina Balassis avait de nouveau revêtu son « uniforme » de sage secrétaire et patientait devant un Coca-Cola, fagotée dans une robe bleue sans forme. A peine Malko fut-il assis qu'elle sortit un papier de son sac.

– J'ai criblé tous les locataires de cet immeuble, annonça-t-elle.

– Et qu'est-ce que ça donne?

– Il y en a un d'intéressant. De *très* intéressant.

CHAPITRE VII

Le brouhaha de la cafétéria sembla s'estomper d'un coup. Malko avait l'impression de tirer un espadon hors de l'eau en se demandant à chaque seconde si la corde allait casser.

– A quel titre est-il intéressant? demanda-t-il.

– Voilà l'histoire, expliqua Christina Balassis. En 1985, lors de l'arraisonnement du paquebot *Achille Lauro* par des terroristes palestiniens, l'un d'eux utilisait un passeport grec. Celui d'un certain Christoforo Milakis. Un Crétois. On a retrouvé ce dernier, qui vivait à Athènes et a déclaré qu'on lui avait volé son passeport. Il avait d'ailleurs signalé le fait à la police.

– C'est lui que nous avons vu?

– Je ne sais pas, je ne possède pas de photos de lui. Il faut que j'en trouve. Mais ce Milakis habite dans l'immeuble. Son âge correspondrait à l'homme que nous avons aperçu hier soir.

– On sait autre chose sur lui?

– Pas grand-chose. Il est psychologue, divorcé. Jamais arrêté ni soupçonné de quoi que ce soit. Mais je n'ose pas demander un criblage complet dans nos différents services. Ils sont truffés d'informateurs du 17 Novembre. J'ai seulement appelé un de mes amis au

KYP(1) qui va regarder de son côté. Je le saurai après le déjeuner. Aujourd'hui, j'arrête de travailler à quatre heures. On peut se retrouver chez moi à ce moment-là. C'est plus sûr.

– Parfait, dit Malko. Il y a un autre problème : Lili n'a pas réapparu. Elle n'a pas téléphoné non plus.

Christina eut un sourire amusé.

– Ne vous tracassez pas. Electra se couche très tard et se lève aussi tard.

– Bon, attendons un peu, conclut Malko. J'ai envoyé Chris planquer près de chez elle.

Christina regarda sa montre.

– Je dois y aller, mon patron va revenir. A plus tard.

Malko partit de son côté vers l'ambassade US où Robert Alcorn l'attendait pour un briefing.

– Langley me bombarde de messages, annonça l'Américain. Ils sont vachement inquiets. Les gouvernements de la coalition font un foin du diable. Tout le monde veut savoir si nous avons réussi à enrayer l'opération Intiqam. Nos homologues européens travaillent sur l'histoire mais n'ont rien trouvé.

– On ne peut pas faire mieux, répliqua Malko agacé. Ensuite?

– Nos stations d'écoute ont noté un gonflement des communications codées entre Bagdad et leur ambassade d'ici. Malheureusement, on n'a pas leur code... Mais il se passe quelque chose. J'ai demandé au KYP de surveiller les agents du Moukhabarat qu'ils ont repérés. Vérifier s'ils ne font rien d'inhabituel...

– Ils vont sûrement essayer de récupérer Anouar Rashimi. Pour l'exfiltrer. Si ce n'est pas déjà fait.

– J'ai peur qu'on soit en train de travailler pour rien, soupira le chef de station.

(1) *Kentrikei Yperitia Plerofiozou.* DGSE grecque.

– Peut-être pas, remarqua Malko. A St-Anton, Adnan Rashid ne semblait pas pressé de bouger. Il était supposé rester encore quatre jours. Peut-être qu'un élément de l'opération Intiqam n'est pas au point. Dans ce cas, Anouar Rashimi va prendre son temps pour préparer son exfiltration.

– Que Dieu vous entende! soupira Robert Alcorn.

Malko regarda l'immensité blanchâtre d'Athènes par la fenêtre. L'homme qu'ils recherchaient, celui qui risquait de déclencher l'apocalypse en Europe, se cachait dans cette fourmilière. Et ils ne pouvaient même pas compter sur la police locale... L'Europe allait être semée de cadavres s'il leur filait entre les doigts.

– Je retourne au *Grande-Bretagne* annonça Malko. J'espère que Lili Panter est revenue.

Lili Panter ouvrit l'œil, la bouche pâteuse, et mit quelques secondes à réaliser où elle se trouvait. L'ouzo bu à pleins verres la vieille au soir l'avait plongée dans un état second. Au moins autant que sa violente aventure sexuelle. La douceur d'Electra avait très vite fait place à une brutalité de soudard. Elle lui avait pratiquement arraché sa culotte! Lui ouvrant ensuite les jambes de force, pour plonger sur son ventre avec une violence inouïe. En quelques minutes, toute la résistance de Lili s'était évanouie, sous l'habileté démoniaque des caresses d'Electra. La jeune Grecque s'était appliquée à lui arracher orgasme après orgasme, sans lui laisser le temps de souffler. Lili planait, ivre de plaisir et d'ouzo. Les images d'Adnan et de Malko passaient devant ses yeux. En dépit de l'habileté de sa partenaire, elle rêvait à un sexe d'homme qui la remplisse. Lorsqu'elle eut épuisé les dernières parcelles d'érotisme de Lili, Electra s'était simplement allongée sur le dos, lançant d'une voix brève :

– A toi.

Lili avait dû s'exécuter, sans vrai plaisir, mais sans

dégoût. Electra avait toutes les exigences d'un homme, la guidant d'interjections sèches et parfois du geste. Lili ne savait plus à quelle heure elle s'était endormie, épuisée.

Pour se réveiller en pleine nuit, le ventre déchiré d'une douleur atroce. Electra, agenouillée derrière elle, venait de la pénétrer avec un énorme olisbos de cuir noir et la transperçait à grands coups de reins, comme un amant exigeant. Ensuite, elle avait violé l'ouverture de ses reins, le regard fou, avec une sorte de haine qui la rendait presque laide. Lili avait eu peur. Comme le jour où elle s'était fait coincer par deux bûcherons dans une forêt autrichienne. Ensuite, Electra, débarrassée de son appendice, s'était endormie comme une masse.

Lili la contempla quelques instants. Comme si elle avait senti son regard, Electra ouvrit des yeux soulignés de mauve. Sans rien dire, elle allongea le bras, saisit les cheveux de Lili et lui écrasa le visage dans le compas de ses cuisses. A nouveau, Lili dut la satisfaire. Ce fut relativement vite fait. Electra gémit, trembla de tous ses membres, resserrant les cuisses si fort que Lili crut étouffer.

Ensuite, elle demeura quelques instants immobiles, avant de se lever et d'aller soulever le rideau de la fenêtre.

Elle revint vers le lit et s'assit en tailleur en face de Lili, la fixant d'un regard absent.

– Tu es bonne, fit-elle. C'est la première fois que tu vas avec une femme?

– Oui, avoua Lili, gênée.

– Tu as aimé?

– Oui.

– Tu es toute seule à Athènes?

– Non, dit Lili, du ton le plus naturel possible, mon mari est parti en Crète pour deux jours.

Electra l'observait, écartant les cheveux qui pendaient sur sa figure.

– Deux jours, répéta-t-elle. C'est pour cela que tu étais libre hier soir.

– C'est ça, dit Lili Panter.

Bizarrement, elle sentait l'atmosphère se tendre. Elle bâilla avec affectation et dit :

– Il va falloir que je rentre. J'espère que mon mari n'a pas téléphoné.

– Tu habites où?

– Au *Grande-Bretagne*.

Tout en parlant, elle s'était levée. Electra en fit autant. Pendant quelques secondes, les deux femmes demeurèrent face à face.

Lili Panter ne vit pas venir la gifle assenée avec la force d'un boxeur poids lourd.

Il lui sembla que sa tête éclatait, elle tomba sur le côté. Déjà la Grecque sautait sur elle comme une tigresse. La tirant par les cheveux, elle la remit debout et se mit à la gifler alternativement des deux mains, avec une violence inouïe. La repoussant peu à peu contre la cloison d'un mètre de haut les séparant de la cuisine. Lili, assommée de coups, ne se défendait même pas... Electra Yonnis s'arrêta brusquement de la gifler, plongea la main dans un tiroir et en sortit un énorme couteau de cuisine dont elle appuya la pointe sur le ventre de Lili Panter. Elle avait les yeux fous.

– *Porna!* Vipère! siffla-t-elle. Tu nous prends pour des cons! On t'a repérée depuis ton arrivée. Tu es aussi vicieuse que ton ordure d'Adnan... Lui a payé, et ça va être ton tour.

– Adnan n'a jamais trahi, protesta Lili d'une voix étranglée. Qui es-tu?

La pointe du couteau s'enfonça un peu et une perle de sang suinta sur le ventre nu.

– Tu poses des questions, maintenant? C'est moi qui vais t'en poser! Combien tu as reçu pour travailler avec les Américains? Hein! Tu étais prête à faire enlever notre frère Anouar. A le faire torturer par ces salauds de la CIA...

– Non, non, protesta l'Autrichienne. Ce n'est pas vrai!

– Alors, pourquoi es-tu venue à Athènes?

Lili Panter comprit que ce n'était pas possible de tout nier.

– Ils m'ont forcée, dit-elle.

Une lueur de folie passa dans les prunelles sombres d'Electra.

– Forcée! Et ici, tu ne pouvais pas leur fausser compagnie... Quand tu étais avec moi?

– Je ne savais pas qui tu étais, protesta Lili Panter. Je n'ai rien fait de mal.

– Salope! gronda Electra. L'Europe va flamber et les impérialistes vont pleurer des larmes de sang. Quant à toi, tu vas payer ta trahison.

Lili crut qu'Electra allait l'éventrer sur-le-champ et se recroquevilla. L'autre avait vraiment un regard de folle.

– Je vais m'occuper moi-même de toi! gronda-t-elle. Comme on faisait pendant la guerre d'Espagne. Tu sais ce qui arrivait aux religieuses quand les Brigades internationales les prenaient? On leur coupait les seins et ils se faisaient des blagues à tabac avec la peau. Toi, on va en faire de très belles, parce qu'ils sont gros... Maintenant, tu vas t'habiller...

Sa colère semblait tombée d'un coup. Elle avait repris un ton normal. Mais le couteau de cuisine resta pointé sur Lili durant son rhabillage.

A son tour, Electra passa une robe, un slip et des chaussures. Le couteau à portée de la main.

– Tu vas venir avec moi, intima-t-elle, ou je te saigne comme un porc.

– Où? osa demander Lili.

– Voir celui que tu as vendu aux Américains. Sans toi, ils n'auraient jamais su ce qu'il faisait ici.

Le sang se retira du visage de Lili. Rashimi, l'homme qu'elle avait dénoncé! Elle le savait incapable de pitié, fanatique au dernier degré. Et féroce avec les traîtres. A

Bagdad, il avait, sous ses yeux, fait étouffer un membre de l'Organisation du 15 Mai avec un sac en plastique. L'agonie avait duré plus d'une heure.

Elle se laissa pousser dans l'ascenseur, le couteau dans le dos. Avec un fol espoir en tête. Malko et ses amis surveillaient sûrement l'immeuble. Elles arrivèrent au sous-sol, presque vide, et la jeune Grecque s'approcha de sa voiture, une Fiat Panda blanche, et ouvrit le coffre. Minuscule.

– Entre là-dedans!

– Mais c'est impossible! protesta Lili.

– Entre ou je t'égorge!

De nouveau, la lueur de folie dans les prunelles noires. La pointe s'enfonça dans ses reins et Lili dut se tasser en chien de fusil dans l'espace minuscule. Pour l'y aider, Electra se mit à taper sur la tête de sa victime et ensuite verrouilla le coffre.

Malko et Milton Brabeck venaient de rejoindre Chris Jones, garé à une cinquantaine de mètres de l'immeuble en marbre, lorsqu'une Fiat Panda blanche en sortit. Electra Yonnis était au volant. Seule.

– Restez là, Milton, lança Malko à l'Américain. Nous la suivons.

Ils n'allèrent pas loin, suivant la route qui serpentait le long des bassins de plaisance. Deux kilomètres plus loin, la Fiat s'engouffra sous une voûte desservant une cour attenante à un des innombrables restaurants s'alignant les uns à côté des autres. Le *Kostas*. Malko le dépassa et s'arrêta.

– Chris, restez-là, dit-il, je vais voir ce qui se passe chez Electra.

Il était midi à peine, et les établissements étaient encore tous vides. Chris Jones s'assit un peu plus loin à la terrasse d'un café. Avec son costume gris froissé, sa cravate et sa chemise blanche, il n'avait pas vraiment l'air d'un touriste.

– Elle n'est pas ressortie?
– Non, dit Milton Brabeck.
Malko regarda le building. C'était facile de pénétrer dans l'immeuble, il n'y avait ni code ni interphone. Si Lili Panter n'était pas partie avec Electra Yonnis, elle se trouvait encore dans l'appartement...
– Allez voir, Milton, dit-il. Je reste là au cas où elle reviendrait. C'est au second.
Milton sonna à l'unique porte du second. Pas de réponse. Il insista, puis examina la serrure. Un modèle Yale assez sophistiqué. L'immeuble était totalement silencieux. Milton tira d'une poche intérieure de sa veste une petite trousse fournie par la TD de Langley. Il y prit un « parapluie »(1) et l'enfonça délicatement dans la serrure. Quinze secondes plus tard, il y eut un « clic » et le pêne se rétracta.
La porte entrouverte, Milton prit son Herstall, fit monter une balle dans le canon et se glissa dans l'appartement, tous les muscles bandés.
Il lui fallut moins d'une minute pour voir qu'il était vide. Poursuivant ses recherches, il repéra une tache sur le sol de marbre. Il y passa le doigt et vit que c'était du sang... D'un coup, il eut l'impression de tout comprendre. Lili Panter avait été démasquée et assassinée. La Grecque avait évacué son corps dans le coffre de sa voiture...

Un homme pas rasé en tenue de cuisinier, imprégné d'une forte odeur de poisson, arracha Lili du coffre de la Fiat Panda, garée dans la cour déserte à part un fourgon, et lui fit parcourir les trois mètres qui la séparaient d'une porte vitrée, un bras tordu derrière le dos.

(1) Appareil permettant d'ouvrir toutes les serrures.

Elle déboucha dans une grande cuisine, celle du restaurant voisin. Deux moustachus – grecs ou arabes – se trouvaient là en compagnie d'Electra et d'un homme coiffé d'un béret avec une moustache noire abondante et de grosses lunettes aux verres fumés. Le cœur de Lili fit un bond dans sa poitrine. C'était Anouar Rashimi.

On la traîna devant lui, accentuant encore la torsion sur son bras. Elle sentit qu'on lui liait les poignets derrière le dos.

– C'est elle? lança Electra, d'une voix vibrante de haine.

– C'est elle, confirma le Palestinien.

Il lui adressa un long regard méprisant et dit calmement :

– Alors tu as trahi comme ton mari! Décidément, les sionistes sont très forts.

– Je n'ai pas trahi, protesta Lili Panter.

Anouar Rashimi haussa les épaules.

– Ne perds pas de temps à mentir. On t'a vue prendre l'avion à Zurich avec les agents de la CIA. Sache seulement que ta trahison a été inutile. Bientôt, le plan Intiqam embrasera l'Europe et nos frères irakiens seront vengés. Comme tu vas mourir lentement tu auras le temps de regretter ton crime.

Elle n'eut pas le temps de répondre. Déjà, on la poussait vers un énorme meuble-glacière qui occupait tout un pan de mur. Un des tiroirs du bas était ouvert, le fond rempli d'un lit de glace pilée.

L'homme qui lui tordait un bras derrière le dos l'y fit tomber d'abord à genoux, puis de tout son long. La jeune femme hurla au contact de la glace. Aussitôt, la pointe d'un couteau s'enfonça dans sa nuque.

Terrifiée, Lili Panter se tut. Déjà le froid l'envahissait. D'un coup de pied, l'homme referma le tiroir et le ferma à l'aide d'un cadenas. Une mince ouverture permettait à l'air de passer. Déjà transie, Lili se raccrocha à l'idée qu'ils voulaient seulement la mettre en condition pour mieux la retourner. Claquant des dents, elle se demanda combien de temps elle pourrait résister au froid.

Anouar Rashimi se glissa hors de la cuisine et monta à l'arrière du fourgon, assis au milieu des caisses. Un des cuisiniers prit le volant et le véhicule sortit de la cour, tournant à gauche pour retrouver la corniche Falicon. Quelques instants plus tard, Electra sortit à son tour, mais prit à droite.

Elle était fière d'avoir croisé un homme comme Anouar Rashimi, qui, traqué par la police, prenait le risque de venir prononcer une condamnation à mort. C'est pour des choses comme cela qu'on le respectait.

Chris Jones bondit vers la voiture de Malko, hystérique.

– La fille est partie il y a trois minutes. Seule.

– Lili n'était pas dans l'appartement, dit Malko. Et Milton a trouvé une tache de sang...

– *Shit!* fit Chris Jones. Ils l'ont identifiée et liquidée. Probablement cette nuit.

– Ou alors, elle l'a emmenée dans le coffre de sa voiture, suggéra Milton.

– Elle n'aurait pas eu la force de transporter un cadavre, objecta Malko. Et ce coffre est minuscule. Elle a dû plutôt faire ça cette nuit. C'est plus sûr pour transporter un cadavre.

Il s'en voulait horriblement de ne pas avoir maintenu une surveillance toute la nuit. Ses adversaires étaient encore mieux organisés qu'il ne l'avait pensé. Il regarda pensivement la façade du *Kostas*. Que venait y faire Electra? Il ne savait pratiquement rien de sa vie; cette visite pouvait être liée à leur affaire ou non... La situation n'était pas brillante. Lili probablement morte, Electra de nouveau dans la nature, il ne restait plus que le mystérieux Christoforos Milakis. Et bien entendu Electra Yonnis qui allait se méfier deux fois plus.

Or, il ne pouvait guère compter sur la police grecque. Sauf peut-être pour effectuer une perquisition au *Kostas*.

– A propos, précisa Chris Jones, il y a un fourgon du restaurant qui est sorti de la cour, juste avant la fille.

Un fourgon! Si par impossible, Electra avait réussi à emmener le cadavre de Lili jusqu'au *Kostas*, il était loin maintenant...

– Nous remontons sur Athènes, dit Malko, je vais faire le point avec Robert Alcorn.

– Obtenir de la police grecque une perquisition dans ce restaurant est pratiquement impossible, sans plus d'éléments, laissa tomber le chef de station de la CIA. Au pire, ils refuseront et au mieux, ils les préviendront avant. Je pense comme vous que Lili Panter a été liquidée cette nuit et qu'ils se sont débarrassés du cadavre depuis longtemps.

Un ange passa, avec le dossier Witness Protection Program et s'enfuit, honteux.

– Donc, il ne reste plus que Christoforo Milakis. Si c'est l'homme que j'ai aperçu hier soir en compagnie d'Electra.

– Je viens d'avoir une information par mes homologues du KYP, dit Robert Alcorn. Leur équipe qui surveillait l'ambassade d'Irak à ma demande a vu le responsable du Moukhabarat sortir, Khalid Al Jawari. Ils l'ont pris en filature, mais, à mi-parcours, il leur a faussé compagnie grâce à l'intervention d'une voiture qui leur a coupé la route... Il allait sûrement à un rendez-vous. Ça c'est passé il y a une demi-heure.

– C'est fréquent, ce genre de choses?

– Non. D'habitude, les Irakiens ne font rien d'illégal ici. C'est une zone neutre.

– Il allait probablement voir Anouar Rashimi,

conclut Malko. Ce qui prouverait que ce dernier est toujours à Athènes.

– Il ne va sûrement pas s'y éterniser, compléta Robert Alcorn.

Combien d'heures leur restait-il pour retrouver l'homme de main de Saddam Hussein?

CHAPITRE VIII

Electra Yonnis descendit du bus et s'engagea dans Odos Votsis, petite rue en pente, perpendiculaire à l'avenue Vouliagmenis qui reliait le centre d'Athènes aux aéroports et à la station balnéaire de Vouliagmeni. La jeune femme se dirigea vers le petit immeuble blanc au coin de Votsis et Omirou.

A quelques kilomètres du centre, le quartier de Kalogizi était une banlieue toute neuve montant à l'assaut des collines pelées d'Imitos. Un quartier pas très cher, mais agréable. Pas de grands immeubles et des petites tavernes sympas à chaque coin de rue.

Electra pénétra dans le jardin de celle qui faisait le coin des deux rues. Un homme seul lisait un journal grec devant un verre vide; il aperçut la jeune femme et replia son journal. Il avait un type moyen-oriental prononcé, les cheveux presque ras et un visage buriné.

– Tout va bien, Aziz? demanda-t-elle.

– Oui. On peut y aller.

Electra Yonnis prenait toujours les mêmes précautions avant de visiter les occupants de cette planque contrôlée par le Mouvement du 17 Novembre. Elle avait effectué plusieurs ruptures de filature et passait d'abord par cette taverne. Si personne ne l'y attendait, elle rebroussait chemin.

Ils empruntèrent la rue Votsis, gagnant un modeste immeuble blanc de quatre étages. Rustique. Pas d'ascenseur. Ils montèrent donc à pied jusqu'au troisième et l'homme sonna trois coups brefs et un coup long. La porte fut ouverte par un grand jeune homme au visage grêlé de taches de rousseur, portant un T-shirt noir et un jeans.

– Ça va, Korça? demanda Electra Yonnis.

Avec son visage abîmé, il était aisément reconnaissable, mais il « travaillait » toujours avec un casque intégral. Korça l'Albanais s'était enfui de son pays avec le rêve de devenir coureur motocycliste. Il avait terminé comme « mule » dans un réseau de trafic de drogue qui alimentait les caisses du Mouvement du 17 Novembre. Arrêté par la police grecque, condamné à huit ans de prison, il avait pu sortir au bout d'un an, en passant un accord avec des protecteurs puissants... Depuis, il faisait ce qu'on lui ordonnait de faire, salarié au mois. Il avait de quoi se payer une pute à Omonia une fois par semaine et se perfectionnait en moto...

Dans un coin, assis à même le sol, un autre homme avait étalé les pièces d'un SZ 63 dont il était en train de limer le ressort de détente afin de le rendre plus sensible. Mahmoud, rescapé d'une des purges du groupe terroriste Abu Nidal. S'il mettait les pieds hors de Grèce, il était mort. Les amis de ceux qu'il avait abattu un peu partout dans le monde ne le rateraient pas, maintenant qu'il ne bénéficiait plus de la protection de son patron. Un soldat perdu sans état d'âme. C'est lui qui avait abattu Tsevas, le garde du corps de Malko, la veille. Il n'en éprouvait d'ailleurs aucune émotion particulière.

Un troisième, torse nu, étendu sur le lit de la pièce voisine, regardait un film sur un Samsung couplé à un magnétoscope.

Il se leva d'un bond et s'approcha d'Electra Yonnis, roulant des épaules. Ses seins le fascinaient et il fantasmait tout le temps sur elle, ne comprenant pas qu'elle n'aime que les femmes.

Berati, lui aussi albanais, était le playboy de la bande. Systématiquement, il s'était attaqué à toutes les filles du quartier, avec succès. Son air avantageux et son sourire éblouissant lui amenaient des tas de conquêtes. Un peu mac, il se faisait ainsi des petits suppléments. Mais fondamentalement, c'était un tueur, amoral et sans envergure. Korça ne l'aimait pas trop, le soupçonnant d'avoir travaillé avec la police secrète albanaise à faire disparaître des opposants. Mais ils étaient tous dans le même bateau : Berati avait dû fuir l'Albanie pour un crime crapuleux. Un des rabatteurs du Mouvement du 17 Novembre l'avait recueilli place Omonia, mourant de faim, prêt à n'importe quoi.

– Il y a du boulot? demanda-t-il joyeusement.

Electra s'assit sur une chaise en ayant soin de croiser les jambes assez haut pour que les quatre hommes puissent se régaler de la vue de ses cuisses et de son slip blanc. Elle les tenait aussi par cela.

– Oui, dit-elle. La suite de l'autre jour.

Mahmoud leva un regard mort vers elle, mais Korça se frotta joyeusement les mains, comme un gosse à qui on annonce une bonne nouvelle.

– Alors, c'est du biscuit!

Electra Yonnis lui jeta un regard méprisant.

– D'abord, l'autre jour, vous avez bénéficié de l'effet de surprise. C'est fini.

Mahmoud leva son index droit avec un sourire mauvais.

– *Fuck* les Américains! Ils ne courent pas plus vite que les balles de mon SZ 63...

– Toi non plus, répliqua sèchement la jeune femme.

Il se tut, pris de court, puis se leva pour surveiller une casserole de spaghetti en équilibre sur un réchaud à même le sol; ils vivaient un peu comme des bohémiens dans cet appartement loué au nom de Korça à un sympathisant du Pasok.

– Il faut que Korça effectue une reconnaissance afin de repérer les lieux et de frapper le plus tôt possible, continua Electra. Ce soir si possible. Ils sont à l'*Hôtel de Grande-Bretagne*. Voilà les numéros de leurs voitures. Vous prendrez toutes les armes dont vous disposez.

Elle posa un papier sur la table et se leva. C'est Mahmoud qui osa poser la question qui les intéressait tous.

– Combien?

– 10 000 dollars.

Ils en restèrent muets de stupéfaction. D'habitude, la vie d'un Grec ne valait pas plus de cinq cents dollars... Donc, c'était *vraiment* dangereux. Déjà Korça était debout et ramassait son casque avec enthousiasme.

– J'y vais, dit-il.

– Tiens, prends ça, conseilla Berati.

Il lui jeta un petit Makarov que l'autre glissa dans sa ceinture à même la peau. Il descendit en même temps qu'Electra et lui proposa avec un clin d'œil :

– Vous ne voulez pas que je vous raccompagne?

– Non, merci, déclara-t-elle avec un sourire.

Pas question qu'on les voie ensemble. Elle se hâta pour aller reprendre son bus, puis sa voiture garée beaucoup plus loin. Korça la dépassa dans un joyeux vrombissement et tourna plus bas, allant vers le centre. C'était précieux d'avoir ce groupe. En tant qu'agent de liaison entre les terroristes grecs et l'Organisation du 15 Mai, elle jouait un rôle primordial. Lorsque les Palestiniens du 15 Mai avaient réclamé la coopération du 17 Novembre, les responsables avaient accepté immédiatement.

D'abord, par identité de vues politiques. Ensuite, le groupe palestinien participait à certaines de leurs opérations en Grèce. Lorsqu'il y avait une action ponctuelle particulièrement pointue à effectuer, comme la liquidation d'un politicien en vue, ils envoyaient une équipe de Bagdad, de Khartoum ou de Larnaca. En cas de pépin, il n'y avait aucun lien apparent avec la Grèce. Ils disposaient, de plus, de connexions assez puissantes pour faire libérer ceux d'entre eux qui se faisaient prendre...

Electra ignorait les détails de l'opération Intiqam mais avait reçu l'ordre d'éliminer coûte que coûte l'équipe de la CIA. Le reste ne la regardait pas.

Christina Balassis s'était à nouveau métamorphosée depuis leur rendez-vous du matin. Seules ses grosses lunettes rappelaient son autre personnalité...

Son déshabillé noir entrouvert laissait voir une guêpière mauve où étaient accrochés des bas gris fumée.

Tout de suite, elle s'enroula autour de lui. Ecrasant ses seins orgueilleux sur l'alpaga de son costume. Il fallait être un saint pour résister à cette tornade parfumée... La glace renvoyait l'image de sa croupe nue émergeant fièrement de la guêpière en une invite muette. Malko trouva cependant le courage de la repousser.

– Lili est très probablement morte, annonça-t-il. Ils l'avaient repérée. Avez-vous du nouveau?

Christina s'était figée, le regard grave.

– Oui, dit-elle. La police de l'Attique m'a donné une photo de Christoforo Milakis.

Elle alla fouiller dans son sac et montra le document à Malko. Ce dernier sentit son désir s'envoler d'un coup.

C'était bien l'homme qu'ils avaient vu en compagnie d'Electra Yonnis. Ils brûlaient! Mais il fallait faire vite. Comme, de nouveau, Christina ronronnait, il la refroidit d'un regard. Et s'approcha du téléphone.

– On va aller chercher ce Milakis, annonça-t-il. Tout de suite.

Chris Jones et Milton Brabeck étaient trop grands pour le studio de Christina Balassis. Ils y avaient rejoint Malko, après son appel. Assis de guingois sur le canapé, ils essayaient de ne pas trop regarder la guêpière mauve de leur hôtesse, s'essuyant souvent le front pas seulement à cause de la chaleur. Ils n'avaient pas touché à leur ouzo. Chris était d'ailleurs sûr que ça donnait le cancer. Quant à Milton, il pelait en cachette les olives à cause des microbes. Par l'entrebâillement de la veste en shantoung de Chris Jones, on apercevait la crosse de l'énorme Desert Eagle. Ce qui fascinait Christina comme un sexe. Visiblement, elle était en train de fantasmer à mort sur ce qu'elle pourrait faire de ces deux montagnes de chair, si on la laissait seule avec eux.

Elle soupira et son peignoir s'ouvrit, révélant ses seins en poire pointés sur Milton comme deux missiles. Précipitamment le gorille se plongea dans la contemplation de la moquette usée.

Depuis vingt minutes, ils discutaient sur la conduite à tenir : aller tout de suite chez Christoforo Milakis ou non. Malko pensait qu'Anouar Rashimi se cachait chez lui. Evidemment, l'autre méthode consistait à le surveiller. Mais cela risquait de prendre du temps.

– Je vais aller avec vous, proposa la jeune policière.

– C'est trop dangereux! contra Malko. S'il vous reconnaît, il vous fera exécuter.

– J'y ai pensé, répliqua la jeune femme. Je mettrai des lunettes noires et un foulard sur le visage. Sans moi, vous ne vous en sortirez pas. Vous ne parlez pas grec.

Chris Jones eut un ricanement sinistre et, n'y tenant plus, fit jaillir le Desert Eagle de son holster.

– Avec ça, fit-il, on apprend très vite les langues. Il suffit de l'enfoncer assez dans la gorge. Jusqu'aux amygdales.

Malko, qui observait Christina, crut qu'elle allait avoir un orgasme devant l'énorme pistolet.

– Faites voir, demanda-t-elle d'une voix rauque.

Elle entoura le canon de ses doigts comme si c'était un membre viril. Ses yeux dans ceux de Chris. Celui-ci eut l'impression qu'une grosse boule envahissait sa gorge, l'asphyxiant... Il tendit sa main géante.

– Donnez ça, Miss, c'est dangereux!

Christina se cabra, vexée, et, du coup, laissa son peignoir s'ouvrir du haut en bas, révélant les bas hauts sur les cuisses et le reste. Chris Jones vira au violet.

– Moi aussi, je fais partie de la police! affirma la Grecque.

Chris n'était plus en état de répondre. Même dans ses rêves les plus fous, il n'aurait jamais imaginé une collègue de cet acabit...

Malko était torturé : il n'avait droit qu'à un seul essai. Et ce devait être le bon. Il était seul à décider.

– On y va, trancha-t-il.

Christina disparut dans la salle de bains et revint, vêtue d'un gros pull et d'un pantalon noir ajusté, une sorte de « caleçon » comme en portaient les allumeuses de Kolonaki. Moulant ses fesses d'une façon indécente. Dans son botillon droit, elle avait glissé un petit revolver, caché par le rabat du caleçon. Elle chaussa des lunettes noires et mit un foulard sur sa tête. Il suffisait de le nouer sur le visage pour être méconnaissable...

– Attendez-moi un peu plus loin, au coin de la rue Soulous, demanda-t-elle. C'est plus prudent.

*
**

Khalid al Jawari monta presque en courant l'escalier vermoulu de l'hôtel *Vackania*. A part les cafards et les punaises, l'établissement situé dans une rue étroite du quartier Omonia abritait une trentaine d'émigrés plus ou moins en règle, qui payaient leur tanière au jour le jour et à prix d'or. Moyennant quoi, on n'était pas trop regardant sur les identités et le commissaire de police du quartier se faisait construire une belle villa sur les hauteurs de Sounion.

L'Irakien arriva essoufflé au cinquième étage et frappa à la porte 52. Rien ne se passa; il refrappa, colla sa bouche au battant et prononça quelques mots en arabe.

Cette fois, la porte s'ouvrit et il pénétra dans une chambre minuscule, aux murs suitant l'humidité, meublée d'une armoire déglinguée, d'un lit et d'une table. L'homme qui avait ouvert se jeta dans ses bras avec tant de violence qu'il faillit écraser entre leurs deux corps les lunettes à verre épais pendues à son cou.

– Merci d'être venu, mon frère! dit-il d'une voix émue.

Ils échangèrent un flot d'amabilités en arabe puis finirent par s'installer sur le lit, faute de sièges.

– Tu n'es pas trop fatigué? demanda le responsable du Moukhabarat irakien.

Le vieux terroriste lui adressa un sourire ironique :

– Tu sais, en prison, on a le temps de se reposer. C'est ensuite que j'ai eu peur. Si nos amis grecs n'avaient pas eu vent du plan des Américains...

Il laissa sa phrase en suspens.

– Je sais, fit sombrement l'Irakien. Mais on va te sortir de là et tu vas pouvoir continuer ta mission. Tu quittes Athènes tout à l'heure.

– Comment?

– Tiens. Voilà déjà des papiers.

Il lui tendit un passeport grec au nom de Vassili Meteoron, procuré par les complices du groupe du 17 Novembre.

– Avec ça, tu passes partout, expliqua l'Irakien. Comme tu parles grec, pas de problème.

– Par où je vais partir? L'aéroport, c'est dangereux.

– Tu ne passes pas par là. En sortant d'ici, tu vas à pied jusqu'à la place Omonia. Là tu prends le bus nº 9.

Une voiture t'attendra au terminus de la ligne à Kipsali. Voilà son numéro. Elle t'emmènera jusqu'à Salonique, à une centaine de kilomètres de la frontière yougoslave. De là, tu prendras le train jusqu'à Skopje en Yougoslavie. Il y a très peu de contrôles à ce poste frontière. Tu as là-dedans un billet d'avion Skopje-Belgrade. En arrivant à Belgrade, tu téléphones à ce numéro. On te donnera de l'argent, d'autres papiers et tu pourras continuer ton voyage...

Le Palestinien regarda le porte-documents que l'Irakien venait de lui remettre.

– Tu ne me donnes pas d'arme?

Khalid Al Jawari secoua la tête avec un sourire rassurant.

– Non. C'est inutile. Tu es un Grec sans problème. Tes papiers résisteront à n'importe quel examen. Pars sans perdre une minute. Je serai plus tranquille quand je te saurai à Belgrade. On me préviendra aussitôt.

Le Palestinien se leva. Ses bagages étaient vite faits. Un sac déjà bouclé. De nouveau, il étreignit son sauveur.

– A bientôt, Inch Allah!

– A bientôt! Le Président te transmet ses encouragements. Tu dois reprendre ta mission coûte que coûte. Nous attendons tous que tu venges l'humiliation qui nous est infligée par les sionistes et les Américains. Attends quelques minutes pour partir.

– Tu n'as pas été suivi?

L'Irakien eut un geste d'impuissance.

– Je ne crois pas. Inch Allah, tout va bien se passer.

Anouar Rashimi montra une hésitation.

– Ce ne serait pas plus prudent de confier cela à quelqu'un d'autre qui ne soit pas repéré?

– Non, trancha fermement l'Irakien. C'est impossible. Tu sais bien que celui que tu vas voir n'acceptera d'ordres que de toi, maintenant qu'Adnan n'est plus là.

– Et de notre chef?

– Trop dangereux pour lui de venir en Europe. Il faut que tu continues, conclut Al Jawari avant de sortir.

Rashimi attendit cinq minutes puis descendit à son tour, pour téléphoner à la réception. Avant de partir, il voulait remercier ceux qui l'avaient aidé.

Malko s'engagea le premier dans l'escalier. Les marches grinçaient effroyablement et l'odeur de moisi prenait à la gorge. Ils atteignirent le palier du second et s'arrêtèrent. Une radio jouait de la musique grecque, des gens se disputaient à l'étage au-dessus. Christina Balassis ôta son foulard de ses cheveux et le noua sur son visage. Avec en plus les lunettes noires, elle était totalement anonyme. Malko se dit que c'était le monde à l'envers : les policiers étaient obligés de se dissimuler comme des gangsters... Il appuya sur la sonnette.

Il avait tout prévu, sauf qu'elle ne marche pas... Après avoir essayé trois fois, il se résigna à frapper. Il entendit des pas de l'autre côté, puis une voix d'homme pleine de douceur posa une question en grec... Il y eut quelques secondes de flottement puis Christina repliqua dans la même langue.

Une réponse étouffée arriva immédiatement et elle annonça à voix basse :

– Il ne veut pas ouvrir.

– Allez-y, Chris! ordonna Malko.

A part un coffre-fort, rien ne résistait au gorille. Chris Jones se lança en avant de toute la force de ses cent dix kilos. Il traversa la porte qui vola en éclats et continua sur sa lancée jusqu'au mur opposé... Milton Brabeck se rua à sa suite, repéra d'un coup d'œil l'unique occupant de la pièce et fonça dessus.

Lorsque Malko entra à son tour, Milton avait resserré les doigts autour des carotides de Christoforo Milakis qui était en train de perdre connaissance. Chris

Jones referma ce qui restait de la porte. Puis, Desert Eagle au poing, il visita rapidement les deux autres pièces de l'appartement.

– Il n'y a personne, annonça-t-il.

Malko sentit le goût de la défaite. Son calcul s'était révélé faux. Il avait raté sa cible.

– Lâchez-le, ordonna-t-il.

Milton lâcha sa proie à regret. Le Grec reprit son souffle et posa une question d'une voix indignée.

– Il demande qui nous sommes, traduisit Christina Balassis.

Le Grec semblait sincèrement terrifié, ne quittant pas des yeux le visage masqué de Christina Balassis.

– Dites-lui qui nous cherchons, demanda Malko.

La jeune femme traduisit, la voix étouffée par le foulard.

Christoforo Milakis ne montra aucune émotion, et répondit une longue phrase, adoptant un ton de plus en plus vindicatif. A tel point que Milton dut encore une fois lui serrer légèrement le larynx... Christina transmit la réponse à Malko.

– Il prétend ne pas connaître Anouar Rashimi. Il dit qu'il va se plaindre à la police. Il pense que nous sommes israéliens et dit qu'il n'a pas peur de mourir.

– *No kidding*(1), lança Chris Jones d'un ton sinistre.

Il ressortit son Desert Eagle, arma le chien extérieur et posa l'extrémité du canon triangulaire sous le menton du Grec.

– Attention! avertit-il charitablement, il va y en avoir partout sur les murs...

Christoforo Milakis avait viré au vert, mais n'ouvrit pas la bouche.

– Dites-lui que nous savons qu'il ment! dit Malko. Que nous l'avons vu avec Anouar Rashimi.

On pouvait toujours prêcher le faux pour savoir le

(1) Sans blague!

vrai... Christina Balassis traduisit la question, obtenant une réponse furieuse. Soudain, le téléphone sonna. Christoforo Milakis décrocha, et lança une phrase brève dans l'appareil avant de raccrocher vivement. Malko arriva trop tard pour l'intercepter.

– Qu'a-t-il dit?

– Que des tueurs du Mossad avaient envahi son appartement, commenta Christina Balassis. Son correspondant a raccroché aussitôt.

– C'était sûrement Anouar Rashimi, explosa Malko.

A tout hasard, Milton Brabeck commença à cogner la tête du Grec contre le mur en l'injuriant.

Le regard de Malko tomba soudain sur un bout de papier posé sur la table à côté du téléphone sur lequel était inscrite une série de chiffres, sur deux lignes. Il le tendit à Christina Balassis.

– Qu'est-ce que c'est à votre avis?

– Sur la première ligne, c'est un numéro de téléphone. Les deux chiffres en dessous, je ne sais pas.

– Composez-le!

Elle obéit et commença à former le numéro. Aussitôt, Christoforo Milakis poussa un grognement étranglé et voulut arracher le téléphone des mains de la jeune femme. Christina échangea quelques mots avec un correspondant et raccrocha.

– C'est un hôtel, dit-elle, le *Vackania*. A trois rues d'ici. 52, ça doit être le numéro de la chambre.

– On y va et on l'emmène, dit Malko.

Le Grec n'eut pas le temps de réagir. Milton avait appuyé ses deux pouces sur ses carotides. En quelques secondes, il perdit connaissance, le cerveau privé d'irrigation. Milton Brabeck le fit basculer sur son épaule et s'engagea le premier dans l'escalier. Avant d'arriver au rez-de-chaussée, Christina ôta son foulard. Quelques passants leur jetèrent des regards intrigués durant le trajet jusqu'à la voiture mais ce fut tout. Ils y installèrent leur prisonnier sur le plancher arrière et Milton lui banda les yeux avec le foulard de Christina.

Trente secondes plus tard, ils fonçaient dans les petites rues à sens unique du quartier d'Omonia, vers l'hôtel *Vackania.*

Le taxi n'avait pas vu le feu passer au rouge au coin de la place de la Constitution et de l'avenue Amalias. Il freina trop violemment et continua sa route en crabe. Son arrière heurta une Fiat dont le conducteur donna involontairement un coup de volant, se rabattant sur la droite, percutant un motard en train de se faufiler le long du trottoir. Sous le choc, ce dernier perdit son casque et fut projeté de sa machine. Sa tête cogna violemment le macadam. Il resta inanimé sur le sol, tandis que la moto continuait à rugir en tournant sur elle-même comme un toton. En quelques instants, ce fut un embouteillage monstrueux et le policier en poste au carrefour se précipita. En allongeant le blessé sur le dos, la première chose qu'il vit fut la crosse d'un pistolet dépassant de la ceinture du jeune homme.

Malko freina brutalement en face de l'hôtel *Vackania* et sauta à terre, suivi de Chris Jones et de Christina Balassis. Milton Brabeck resta dans la voiture, les pieds sur la tête de leur « informateur » involontaire...

Ils s'engouffrèrent dans le minuscule hall d'entrée, se ruant aussitôt dans l'escalier. A la réception, un jeune homme aux cheveux longs, le front fuyant et l'air veule, était plongé dans une discussion violente avec un client de couleur. Il hurla à l'adresse du groupe :

– Hé, où vous allez?

Personne ne se donna la peine de lui répondre.

Malko arriva le premier au cinquième étage et fonça sur la chambre indiquée sur le bout de papier. Il n'eut pas le mal d'enfoncer la porte : elle était entrouverte!

En quelques secondes, il constata qu'elle était vide de tout, sauf de poussière. Après une fouille sommaire, ils redescendirent, moroses. Le réceptionniste leur barra la route.

– Qui êtes-vous? Où vous allez? glapit-il. C'est pas un bordel, ici!

– Où est l'occupant de la chambre 52? demanda Christina Balassis.

– Qu'est-ce que ça peut vous foutre!

Chris Jones ne comprenait pas le grec mais savait lire sur un visage. Il fit un pas en avant et l'autre battit aussitôt en retraite derrière son comptoir. Il plongea la main dans un tiroir et en ressortit un vieux revolver qu'il brandit en direction du groupe. Il devait être habitué aux incidents.

– Foutez le camp! hurla-t-il, ou je vous fais sauter la tête.

Chris Jones avança vers lui, souriant, très détendu. L'autre continua à brandir son arme et répéta, hystérique :

– Foutez le camp!

Chris Jones étendit le bras pour saisir l'arme, le Grec appuya sur la détente. Chris effectua un pas de côté mais acheva son geste qui fit se refermer ses doigts autour de la gorge de son adversaire. Celui-ci eut l'impression qu'on lui mettait le cou dans un étau. Sans effort apparent, le gorille le tira en avant, le faisant passer par-dessus son comptoir. Au passage, d'une violente manchette, il lui brisa quelques os dans le poignet.

Le Grec termina son parcours à plat dos sur le sol, la semelle droite de Chris Jones en travers de la gorge. Il suffisait de tourner un peu comme on écrase un cafard pour lui broyer le larynx... Une pute qui redescendait avec son client fit précipitamment demi-tour.

– Il est à vous! annonça Chris à Christina Balassis.

La jeune femme s'accroupit près de l'homme à terre qui couinait en se tenant le poignet et l'interrogea en grec. Cette fois, il se montra nettement plus coopératif. C'était un homme qui avait le sens des rapports de force...

Elle tira de sa poche la photo d'Anouar Rashimi.

– C'est lui?

– Oui, je crois, reconnut le Grec de mauvaise grâce.

– Où est-il?

– Ce client est parti il y a quelques minutes, annonça-t-il.

– Seul?

– Oui.

– Il a reçu des visites?

– Oui, un homme.

– Il n'a rien fait de particulier avant de partir? insista Christina. Il n'a pas dit où il allait?

– Mes clients ne me racontent pas leur vie, grommela le tôlier qui reprenait du poil de la bête. Il a juste donné un coup de fil du comptoir. Mais il a seulement fait son numéro, décroché et raccroché.

Ça collait parfaitement. Sur un signe de Malko, Chris Jones ôta sa semelle et s'essuya ostensiblement sur le sol d'une propreté douteuse. Malko était partagé entre la fureur et le découragement. Anouar Rashimi venait de leur filer entre les doigts. Il allait continuer l'opération Intiqam et, cette fois, il n'y avait plus aucun fil à tirer pour le retrouver.

CHAPITRE IX

Malko remontait lentement l'avenue Stadiou, plongé dans ses pensées moroses. A l'arrière, Christoforo Milakis, coincé sous les pieds de Chris Jones et de Milton Brabeck, couinait de plus en plus fort. A la sortie de l'hôtel *Vackania*, Malko aidé de Christina avait essayé, en vain, d'en tirer quelque chose. Le Grec était dans un tel état d'hystérie qu'on pouvait craindre un arrêt cardiaque.

Christina Balassis se tourna vers Malko.

– Qu'allez-vous en faire?

– Le relâcher, je pense. Il n'y a pas d'autre solution.

Elle opina.

– Je crois aussi. Vous n'en tirerez rien. Laissez-moi d'abord descendre ici. Je vais repasser au bureau voir s'il n'y a rien. Je vous appelle au *Grande-Bretagne*.

Malko repartit, continua Stadiou, passant devant la place de la Constitution. Il remonta ensuite le grand boulevard Areopagitou qui grimpait vers l'Acropole. Le soleil se couchait et il n'y avait presque plus de touristes. Il engagea la voiture dans les allées serpentant au flanc de la colline, au pied des ruines et se tourna vers Milton Brabeck.

– Nous allons le laisser là, mais il ne faut pas qu'il puisse relever le numéro de la voiture.

– Pas de problème, affirma le gorille.

Malko stoppa dans un cul-de-sac. En quelques secondes, les deux Américains eurent sorti Christoforo Milakis du plancher de la voiture. Comme il se débattait, Milton lui appuya de nouveau judicieusement sur les carotides et il le sentit devenir tout mou. Il accompagna sa chute jusqu'au sol, récupéra le foulard de Christina Balassis et ils remontèrent. Malko entamait déjà sa marche arrière. Lorsqu'il franchit le virage suivant, le Grec n'avait pas encore repris connaissance.

Il n'y avait plus qu'à aller annoncer toutes les mauvaises nouvelles à Robert Alcorn. Désormais, plus rien ne pouvait stopper la campagne de terreur sponsorisée par les Irakiens. Anouar Rashimi était sûrement déjà loin, en route pour déclencher l'opération Intiqam.

Les herses en ciment de l'ambassade américaine s'abaissèrent lentement pour laisser passer la voiture, sur l'ordre du Marine de garde. Les trois hommes prirent place dans l'ascenseur sans avoir le courage d'échanger trois mots. Rien qu'en voyant leur tête, Robert Alcorn sut qu'il y avait de la catastrophe dans l'air.

– Donnez du café pour tout le monde, demanda-t-il à sa secrétaire par l'interphone.

*

Un silence pesant avait succédé au récit de Malko. Distraitement, le chef de station de la CIA faisait tourner les glaçons dans son verre de Johnny Walker Carte Noire, tandis que les deux gorilles s'imbibaient de café, moroses.

– Tout concorde, conclut Robert Alcorn. Les Irakiens ont organisé l'exfiltration d'Anouar Rashimi pour qu'il puisse continuer sa mission pour eux. J'ignore encore comment. Même en diffusant le signalement d'Anouar Rashimi dans toute l'Europe, je doute que nous obtenions des résultats. Il va éviter les aéroports et les endroits trop surveillés. En plus, nous ignorons dans quel pays il va et qui il doit rencontrer. Je vais quand même faire le maximum.

« Mais il n'y a plus qu'à attendre le premier attentat.

Un ange passa, un chargement de bombes sous les ailes. Malko bouillait de fureur. Depuis le début de cette affaire, la CIA avait joué de malchance, prenant toujours une longueur de retard.

– Il ne nous reste plus qu'un élément concret, remarqua Malko. Electra Yonnis. C'est de chez elle qu'a disparu Lili Panter et tout indique qu'elle est liée à nos adversaires.

Robert Alcorn, en dépit du Witness Protection Program, ne semblait pas attacher une importance cruciale à la disparition de la jeune Autrichienne. La CIA allait faire des économies...

– Anouar Rashimi a filé et je pense que les Grecs qui lui ont fourni sa logistique ne sont pas au courant de la suite.

– C'est possible, objecta Malko, mais pas certain. Pour une exfiltration, les locaux sont mieux armés que les Irakiens. Donc, cette Electra Yonnis sait peut-être où est parti Anouar Rashimi.

Robert Alcorn avala une gorgée de café.

– OK. Même si vous avez raison, nous n'avons rien pour inquiéter officiellement Miss Yonnis. Même si Christina Balassis témoignait, ce qui la grillerait, qu'elle les a vues entrer ensemble chez Electra Yonnis. Nous savons que Lili Panter ne s'y trouve plus. Elle doit être dans un sac au fond de la baie du Pirée. Anouar Rashimi aura le temps de faire péter dix mille bombes avant que nous puissions arriver à quelque chose d'utile. Dès qu'on va toucher à cette fille, tout ce que la Grèce compte de journalistes, d'avocats et de politiciens gauchistes va nous tomber dessus.

Malko ne répliqua pas, sachant que le chef de station avait raison. Ils n'étaient pas dans un pays vraiment ami. Alcorn allongeait la main pour reprendre un peu de café lorsqu'un voyant rouge s'alluma sur son téléphone. Il prit la communication, écouta quelques instants et raccrocha, visiblement intrigué.

– Christina Balassis prétend avoir recueilli une information hyper-importante pour nous. Elle vous attend dans un café au coin d'Alessandras et de la rue Vouzi.

La jeune secrétaire était déjà là quand Malko pénétra dans le petit café et rejoignit la table au fond où se trouvait Christina derrière ses grosses lunettes.

– Quand je suis repassée au bureau, expliqua-t-elle, j'ai trouvé un rapport concernant un accident de la circulation qui a eu lieu aujourd'hui vers quinze heures, place de la Constitution. Un jeune homme en moto renversé par une voiture. On a trouvé une arme sur lui. Il a exactement le profil de ceux qui travaillent avec l'Organisation du 17 Novembre. Albanais, sans travail, mais habitant une résidence dans un quartier agréable. En plus, sa moto avait une fausse plaque et pourrait être celle qui a servi à l'attentat contre vous. Est-ce qu'il vous serait possible de la reconnaître?

– Peut-être, dit Malko. Où est-elle?

L'engin était une Honda 750 et il se souvenait parfaitement de la pin-up peinte sur le réservoir.

– Au quatorzième étage de notre building, avec d'autres machines saisies par la police. Voilà ce que nous allons faire. Je vais partir en avant. Vous suivez dans cinq minutes et vous vous présentez au poste de garde. Là, vous dites avoir rendez-vous avec Mr. Kotsiris. Il n'est pas là, c'est mon patron. C'est moi qui décrocherai son téléphone et dirai de vous faire monter. Voici le nom et l'adresse de ce garçon, si c'est bien la moto en question.

Elle lui glissa un papier et leurs doigts se frôlèrent. S'il n'avait pas connu la qualité de sa lingerie, elle ressemblait à toutes les secrétaires du monde. Elle sortit la première et fit comme convenu.

Cinq minutes plus tard, un policier grec de garde au rez-de-chaussée du QG de la police remettait un badge à Malko en lui précisant que Mr. Kotsiris était au treizième étage.

Christina Balassis l'attendait sur le palier, les yeux brillants. Comme il sortait du grand ascenseur aux parois couvertes de graffiti, elle l'y poussa à nouveau.

– C'est un étage au-dessus, fit-elle.

Elle s'était remaquillée, se dessinant une énorme lèvre supérieure. A peine se retrouvèrent-ils dans la cabine décorée comme un couloir de métro que Christina s'incrusta contre lui comme une chatte en chaleur. Tout en l'embrassant, elle envoya la main à tâtons et poussa un bouton. Aussitôt, l'ascenseur s'arrêta entre deux étages avec une petite secousse.

– Prends-moi les seins, dit-elle d'une voix mourante. Tu ne peux pas savoir ce que ça m'excite de faire ça ici.

Malko caressa la robe hermétiquement fermée et la jeune femme se mit à trembler de la tête aux pieds.

– Oh, j'ai trop envie! murmura-t-elle.

– On ne va pas appeler l'ascenseur?

– Je l'ai bloqué, fit-elle avec simplicité. Il tombe tout le temps en panne, personne ne s'apercevra de rien.

Elle le fit asseoir sur un strapontin destiné à un éventuel liftier, s'agenouilla sur le sol poussiéreux et plongea sur lui. Laissant d'abord une superbe marque de rouge sur son membre qu'elle contempla quelques instants avant de le prendre à nouveau dans sa bouche. Dès qu'elle le jugea à point, elle se releva, souleva sa robe, écarta un microscopique slip de dentelle noire et se laissa glisser avec un soupir de contentement, empalée jusqu'au fond du ventre.

De se sentir emprisonné dans cette gaine brûlante déchaîna Malko. Leur galopade fut brève et délicieuse. Christina caracolait comme pour gagner un Grand

Prix. Lorsque Malko explosa en elle, son rugissement franchit sûrement les parois de l'ascenseur. Une sorte de cri de détresse... En quelques secondes, ils eurent repris une attitude décente et elle débloqua la cabine. Christina glissa à l'oreille de Malko :

– J'avais mis le slip que tu m'as offert l'autre jour. C'est une bonne façon de l'étrenner, non? Je te laisse, il ne faut pas qu'on nous voie ensemble.

Une bonne quinzaine de personnes attendaient sur le palier du quatorzième.

Christina demeura au fond de la cabine, les yeux baissés et Malko sortit, apercevant à droite du grand palier un espace délimité par des rubans de couleur jaune. Une douzaine de motos étaient entassées les unes contre les autres. Malko s'intéressa à la première, une Honda 750 noire. Sur le côté droit du réservoir, se détachait une pin-up en décalcomanie multicolore.

– Même s'il n'y a qu'une chance sur dix qu'Anouar Rashimi se trouve dans cette planque, il faut la courir, dit calmement le chef de station de la CIA.

Après sa découverte, Malko était retourné ventre à terre à l'ambassade. Au moment où ils n'avaient plus de piste, le ciel leur envoyait un miracle. Cependant, l'expérience avec Christoforo Milakis l'avait refroidi. Ils ne pouvaient pas effectuer des raids dans tous les appartements d'Athènes à la recherche d'Anouar Rashimi.

– Et s'il ne s'y trouve pas? interrogea Malko.

– Si vous pouvez éliminer d'autres terroristes de ce groupe, dit Robert Alcorn, ce n'est pas un mal. J'ai un « finding » du Président qui vous couvre.

– Dans ce cas, allons-y, conclut Malko. Mais je ne vous conseille pas de nous laisser tomber s'il y a un problème.

Chris Jones regarda longuement le petit immeuble blanc, semblable aux autres. La rue Votsis montant en pente douce vers la colline était calme et déserte, des radios diffusaient de la musique par les fenêtres ouvertes. C'était l'heure où les Grecs se remettaient de leur sieste. Malko avait repéré l'entrée de l'immeuble et, sur les boîtes aux lettres, avait trouvé un bout de carton où était épinglé le nom du motard blessé avec la mention « troisième étage ».

– On y va? demanda le gorille.

Sous la bannière du « finding », il grillait d'en découdre. Malko s'était convaincu que cette planque pouvait héberger le Palestinien, protégé par les « baby-sitters ». Ils étaient certains, en tout cas, de ne pas tomber sur des innocents. Si Anouar Rashimi ne se trouvait pas là, ce serait de nouveau un coup d'épée dans l'eau, le dernier. L'idéal serait de neutraliser les occupants de l'appartement et de les remettre à la police grecque.

– Nous y allons, dit Malko, traversant la rue Votsis.

Ils pénétrèrent dans le hall. Malko équipé de son pistolet extra-plat et les gorilles, de leur artillerie habituelle. Retenant leur souffle, ils gravirent les étages.

Au troisième, il y avait de la musique, mais deux portes sans la moindre indication. C'est pendant qu'ils hésitaient que l'une d'elles s'ouvrit. Malko eut le temps de voir un visage mal rasé, des yeux noirs soupçonneux, un jeune homme en tricot de corps et jeans, puis le battant se referma violemment.

Milton Brabeck était déjà dessus. Même méthode que son équipier. Il s'y reprit à deux fois et la porte s'ouvrit, la serrure arrachée. Instinctivement, l'Américain se colla au mur. Bien lui en prit. Une rafale d'arme automatique balaya le palier, faisant jaillir du plâtre partout. Du coin de l'œil, Malko aperçut un homme qui traversait la pièce, courbé en deux, une Uzi à la main. Il tira deux fois et un de ses projectiles frappa l'homme en pleine tête. Ce dernier tomba hors de son champ de vision.

Chris et Milton étaient à leur affaire. Une arme dans chaque main, ils foncèrent. Chris se mit à balayer la pièce avec son Desert Eagle et un Python, tandis que Milton Brabeck s'y glissait à plat ventre, couvert par le feu de son coéquipier qui dévastait l'appartement. Chris fit un pas en avant et aperçut un homme armé d'un SZ 63, tassé contre une chaise.

Le Desert Eagle tonna deux fois et l'autre s'effondra, le visage transformé en une bouillie sanglante.

Le seul survivant se dressa avec un certain courage, serrant un PM Beretta. Il n'eut même pas le temps de s'en servir, foudroyé par le Herstall de Milton qui cracha ses quatorze projectiles en deux secondes. Quand la culasse claqua à vide, l'homme n'était plus qu'une éponge sanglante, un pantin désarticulé avec des trous partout.

Les deux gorilles se ruèrent sur la cuisine et les deux chambres, revenant bredouilles. L'âcre odeur de la cordite flottait dans l'atmosphère irrespirable. Malko vérifia le carnage d'un coup d'œil : les trois hommes étaient morts. Tous les armes à la main. Le tuyau de Christina Balassis était bon, mais la police n'allait pas tarder à arriver. Ils n'avaient même pas le temps de fouiller l'appartement.

– Filons, dit Malko à Chris.

Une fois de plus, ils avaient raté Anouar Rashimi.

Les deux gorilles rengainèrent leur artillerie et plongèrent dans l'escalier. Malko prit quelques minutes pour fouiller sommairement la pièce, s'emparant de deux carnets. Une sirène se mit à hurler dans le lointain. Il était temps de déguerpir. Au passage, dans l'escalier, il aperçut quelques visages effarés dans l'entrebâillement des portes, mais personne ne se hasarda à intervenir.

Il sauta dans la voiture dont Chris avait pris le volant

au moment où une voiture de police tournait le coin de la rue Votsis. Dieu merci, la rue était vide, les voisins terrifiés par la fusillade. Pendant vingt minutes, Chris se perdit dans les petites rues puis ils débouchèrent dans la grande avenue Vouliagmenis et se noyèrent dans la circulation.

Les coups de feu retentissaient encore dans leurs oreilles. Malko ne s'attendait pas à trouver un commando de tueurs aussi déterminés. Ils n'avaient même pas eu une chance de parlementer, d'essayer de remonter par eux jusqu'au Palestinien en cavale. Malko déposa Chris et Milton au *Grande-Bretagne*, filant à l'ambassade. Robert Alcorn devait avoir envie de connaître le résultat des courses.

*

– Vous avez fait fort! lança le chef de station de la CIA. La radio a interrompu ses émissions pour annoncer « le massacre de la rue Votsis ». Comme apparemment il y a deux Arabes parmi les morts, on va sûrement accuser le Mossad.

– Nous n'avons pas eu le choix, expliqua Malko.

Il raconta leur expédition, posant ensuite sur le bureau les carnets trouvés sur place.

– Donnez cela à vos experts ou aux Grecs, conseilla-t-il. Il y a peut-être des choses intéressantes sur le groupe du 17 Novembre et ses liens avec le terrorisme moyen-oriental. Maintenant, que faisons-nous? A mon avis, Anouar Rashimi a quitté Athènes aujourd'hui. Nous l'avons raté d'un cheveu. Nous ne retrouverons plus le cadavre de Lili Panter dans un avenir prévisible. Il reste Christoforo Milakis et Electra Yonnis. Tous deux ont aidé Anouar Rashimi. Ils savent peut-être où et comment il est parti.

– Ce n'est pas facile, avoua l'Américain. En ce qui concerne Milakis, il n'y a rien contre lui. Pour Electra Yonnis, c'est différent. Nous pouvons l'accuser du meurtre de Lili Panter. Obtenir qu'elle soit interrogée par la police. Bien entendu, elle va tout nier et toute la Gauche va se ruer à son aide. On va bien finir par faire le lien entre le massacre de tout à l'heure et vous... Donc, je suis obligé de marcher sur des œufs.

– Autrement dit, coupa Malko, il n'y a plus qu'à démonter et à avouer notre impuissance à stopper l'opération Intiqam.

– Tous les Services européens sont prévenus, objecta l'Américain. Anouar Rashimi risque de ne pas passer à travers les mailles du filet.

– Et s'il y parvient?

Silence. Un ange passa, les ailes chargées d'explosifs.

– Que proposez-vous? demanda d'une voix lasse Robert Alcorn.

– De continuer dans l'illégalité, suggéra Malko. Essayer de faire craquer Electra Yonnis. De lui dire que le terroriste blessé dans l'accident de moto – l'assassin de Tsevas ou son complice – a parlé et l'a incriminée...

– Cela ne risque pas, il est dans le coma.

– Elle ne le sait peut-être pas.

– Mais comment comptez-vous vous y prendre?

– La kidnapper et la menacer de mort.

– Où? Comment? demanda le chef de station, affolé.

– Je ne sais pas encore. Il faut d'abord remettre la main dessus. Si elle ne s'est pas enfuie avec Anouar Rashimi.

– Et où comptez-vous faire cela? Pas ici quand même?

– Chez elle. Cela ne prendra pas longtemps. Si elle ne craque pas vite, il n'y aura plus qu'à nous exfiltrer dare-dare.

Robert Alcorn eut un geste large.

– OK. Vous avez carte blanche. En cas de pépin, je m'abriterai derrière le « finding » du Président concernant Intiqam.

Malko lui serra la main. Anouar Rashimi, le bras armé de Saddam Hussein, avait quitté Athènes quelques heures plus tôt. Chaque seconde comptait. Il ne fallait pas faire dans la dentelle.

***

Christina Balassis changea de visage en voyant Malko.

– Mon Dieu, s'écria-t-elle, j'ai eu si peur. A la radio, des voisins ont déclaré qu'un des hommes du commando israélien de la rue Votsis avait été blessé, que ses compagnons le traînaient.

– Non, personne d'entre nous n'a été touché, corrigea Malko, mais votre tuyau était bon. C'étaient bien des tueurs. Malheureusement, cela ne nous mène pas à Anouar Rashimi.

– Qu'est-ce que vous allez faire maintenant?

– Coincer Electra Yonnis, dit Malko. Essayer de lui faire peur. Grâce à l'histoire Lili Panter. On peut lui faire croire qu'on a retrouvé le cadavre. Ou que le jeune terroriste blessé en moto l'a accusée... Où peut-elle se trouver?

– N'importe où à Athènes, dit Christina Balassis. Peut-être à Kolonaki. Ou chez elle.

– Vous avez son numéro?

– Oui.

– Vous pouvez appeler sous un prétexte quelconque. Vérifiez si elle s'y trouve.

– Bien sûr.

Elle alla prendre un carnet, s'assit et composa un numéro. Elle échangea quelques mots et raccrocha.

– Elle est chez elle. J'ai prétendu m'être trompée de numéro. Mais cela risque de l'alerter.

– Tant pis, dit Malko. Nous y allons.

– Je vais avec vous.

– Non. Je ne veux pas vous entraîner dans une

aventure qui peut être sanglante. Ni vous compromettre. Electra Yonnis parle anglais, je me débrouillerai.

Christina lui jeta un regard humide.

– Vous viendrez me dire ensuite ce qui s'est passé.

– Promis, jura Malko.

Elle se serra contre lui d'une façon qui ne dissimulait rien de ses intentions pour le proche avenir. Malko avait déjà la tête ailleurs.

La Panda blanche sortit de l'immeuble d'Electra Yonnis, la jeune femme au volant, au moment où Malko se garait. Il n'eut qu'à donner un coup de volant et d'accélérateur pour filer derrière elle. La jeune Grecque conduisait vite, sur la route sinueuse longeant les bassins. Les touristes avaient fini de dîner et les restaurants étaient tous en train de fermer. Les Grecs n'y venaient que pendant les week-ends et encore, fuyant ces pièges à touristes.

Malko vit les « stop » de la Panda s'allumer et freina à son tour. Electra tourna et s'engouffra dans la cour attenante au *Kostas*. Visiblement très pressée. Christina Balassis avait raison. Le coup de fil l'avait alertée. Tout à coup, un déclic se fit dans la tête de Malko : il n'avait pas vu ce qui était sous son nez, aveuglant! Il se gara dans un parking public trente mètres plus loin et se retourna vers Milton Brabeck.

– Mettez un silencieux sur le Herstall. Nous y allons!

– Ici?

– Ici!

Ils pénétrèrent dans la cour sombre où la Fiat était la seule voiture garée et se dirigèrent vers la lumière qui filtrait à travers les vitres dépolies de ce qui devait être la cuisine du *Kostas*. Malko tourna la poignée de la porte et poussa.

C'était bien la cuisine. Au fond, il aperçut des fourneaux et un cuisinier en train de fumer une cigarette. Devant lui, des armoires frigorifiques occupaient tout un panneau. En face d'une table où trois personnes étaient installées. Un gros maître d'hôtel en veste blanche, un homme plus jeune en tenue de cuisinier et Electra Yonnis. Celle-ci, de dos, ne pouvait voir la porte. Le maître d'hôtel, apercevant les nouveaux arrivants, se leva et leur adressa une interjection en grec, appuyée d'un énergique geste du bras les invitant à sortir.

Electra se retourna machinalement. Ses traits se figèrent en reconnaissant Malko, Chris et Milton.

CHAPITRE X

Electra Yonnis lança une interjection, le visage crispé de fureur. Aussitôt, les deux hommes assis à la table se levèrent et marchèrent sur les intrus. Le cuisinier empoigna au passage un énorme couteau et fonça sur Malko. C'est Chris qu'il trouva à sa place, Desert Eagle au poing, l'air vraiment méchant.

– On se calme! fit le gorille. *Take it easy.*

Il avait parlé anglais mais le Grec comprit parfaitement. Electra Yonnis, le regard venimeux, cracha à Malko, en anglais :

– Qui êtes-vous? Qu'est-ce que vous voulez? C'est un endroit privé ici.

– Je cherche une certaine Lili Panter, répondit paisiblement Malko. La dernière fois qu'on l'a vue vivante, elle était chez vous. Depuis, elle a disparu.

Du coin de l'œil, il enregistra le changement d'attitude du gros maître d'hôtel. Le sang s'était brusquement retiré de son visage, son menton tremblait. Il recula, s'adossant à une énorme glacière qui occupait tout un pan de mur. Pourquoi était-il tellement paniqué?

– Je ne sais pas de quoi vous voulez parler, répliqua Electra Yonnis. Partez immédiatement ou j'appelle la police.

Au mot « police », Milton Brabeck se dirigea vers le

téléphone mural, et tranquillement arracha le fil... Le maître d'hôtel en blanc sembla retrouver son sang-froid et dit d'un ton plaintif, en mauvais anglais :

– Je ne comprends pas! Que voulez-vous, messieurs? Ici, c'est un restaurant et nous ne servons plus.

Ses gros yeux noirs roulaient dans leurs orbites pour le rendre plus convaincant. Sans lui répondre, Malko se dirigea vers l'énorme glacière frigorifique et l'examina. Elle était divisée en plusieurs dizaines de casiers de différentes tailles. Ceux du bas étaient les plus grands, plus de cinquante centimètres de largeur. Au centre, l'un d'eux était fermé par un cadenas. Il pointa le doigt dessus.

– Qu'est-ce qu'il y a là-dedans?

Le cuisinier s'avança alors avec un sourire servile.

– Du poisson, regardez.

Il commença à ouvrir plusieurs casiers plus petits où Malko aperçut des dorades, des loups, des soles, des poulpes sur un lit de glace. La réserve du *Kostas*. Malko tendit la main vers le casier cadenassé.

– Vous avez la clef pour ouvrir celui-là?

Le gros cuisinier secoua la tête négativement.

– Non, seulement le patron. Ce sont des langoustes, il a peur qu'on les vole. Il faut revenir demain.

Le cuisinier avait quitté ses fourneaux et s'était rapproché, derrière Malko, l'air mauvais sous sa toque blanche. Malko se retourna vers Milton Brabeck.

– Milton, vous voulez faire le serrurier?

Le gorille tira de son holster son Herstall, s'accroupit, appuya l'extrémité du canon contre le cadenas et appuya sur la détente.

La détonation fut presque inaudible, mais le cadenas n'explosa pas, touché en séton.

Le maître d'hôtel en veste blanche se précipita, pathétique, affolé.

– Je vous dis que ce sont des poissons, comme ceux-là!

Il ouvrit un nouveau casier et plongea la main

dedans. Quand il la ressortit, elle serrait un gros pistolet. Son expression s'était modifiée en une fraction de seconde. Malko vit l'arme se relever dans sa direction et entendit Chris Jones lancer :

– Malko, attention!

Le cuisinier fonçait sur lui, brandissant une interminable broche d'acier.

Milton Brabeck pivota et appuya deux fois sur la détente du Herstall. Deux « plouf » légers et le maître d'hôtel parut projeté en avant par une main invisible. Lorsque les projectiles ressortirent par sa poitrine, il n'avait plus du tout envie d'être méchant. Il faut dire qu'ils entraînèrent un bon morceau de ses poumons... Il tituba, sans même la force d'appuyer sur la détente de son arme prise dans le casier et tomba en avant, pétrifié par l'onde de choc.

Chris Jones, d'un violent coup d'épaule, déséquilibra le cuisinier dont la broche heurta la paroi de la glacière avec un bruit métallique et dérapa. D'une puissante manchette sur la nuque, Chris l'assomma au passage comme un lapin et il tomba raide sur le carrelage... L'autre cuisinier reculait vers la sortie, escortant Electra Yonnis, muette, le visage encore plus livide que d'habitude. Chris Jones n'eut qu'à lever son Desert Eagle sans rien dire pour qu'ils s'immobilisent sagement.

Le gros maître d'hôtel émettait des bulles rosâtres, allongé sur le carrelage, achevant de se vider de son sang. L'odeur fade du sang mêlée à celle du poisson soulevait le cœur. Par prudence, Chris Jones alla se placer entre la porte et le couple tandis que Milton Brabeck, vexé, ajustait à nouveau le cadenas qui, cette fois, vola en éclats.

Appréhendant ce qu'il allait découvrir, Malko tira le casier sur lui. Il était extrêmement lourd. Il vit d'abord deux pieds nus, verdâtres, puis des jambes. Surmontant un haut-le-cœur, il découvrit progressivement tout le corps de Lili Panter, les poignets attachés derrière le dos. Sa peau était tantôt blême, tantôt verdâtre. Il essaya de la soulever mais elle était incrustée dans son lit de glace. Elle ne portait aucune blessure apparente. On l'avait simplement congelée vivante...

Malko croisa le regard d'Electra Yonnis et y lut cette fois une vraie panique.

– Vous avez commis un crime de trop, dit-il gravement.

Elle ne répliqua pas, passant nerveusement la langue sur ses lèvres, les yeux fixés sur le cadavre. Malko s'approcha d'elle, et plongea ses yeux dorés dans les siens.

– Cela me dégoûte de vous proposer cela, dit-il. Seulement, ma mission est de stopper une vague de terrorisme en Europe. Déclenchée par votre ami Anouar Rashimi. Pas de venger les morts. Alors, je vous donne le choix. Ou j'appelle la police, ou vous m'aidez. Vous pouvez encore ne pas terminer vos jours en prison.

Une lueur haineuse passa dans les prunelles sombres d'Electra Yonnis.

– Vous ne pouvez rien prouver contre moi! jeta-t-elle.

Brutalement, Malko se sentit envahi d'une colère aveugle. D'un bond, il fut sur la jeune femme et l'attrapa par ses longs cheveux noirs, la tirant vers la glacière.

– Chris, dit-il, ouvrez l'autre casier.

Electra le défia du regard.

– Vous n'oserez pas!

Chris obéit, découvrant un casier également rempli de glace pilée. Sans hésiter, Malko fit basculer la Grecque, qui se débattait comme une chenille coupée en deux. La maintenant allongée sur la glace, il réussit à fermer à demi le casier. Chris Jones, d'une poussée violente, acheva le travail. Les glapissements d'Electra ne leur parvenaient plus que très étouffés.

– On peut y aller! lança le gorille d'un ton joyeux. Les clients de demain vont avoir des surprises...

Il prenait tout au premier degré, Chris.

Malko le rabroua.

– Chris, nous ne sommes pas des assassins. Il s'agit juste de faire comprendre à cette femme que nous sommes sérieux. Je pense qu'une demi-heure de fraîcheur ne lui fera pas de mal...

Le cuisinier assommé par la manchette de Chris Jones gémissait. Milton Brabeck le releva et le traîna jusqu'aux fourneaux. Malko le rattrapa de justesse alors qu'il allait le réveiller en lui appliquant le visage sur la tôle brûlante. L'autre hurlait déjà de terreur... Le second cuisinier essayait de s'enfoncer dans le mur, terrifié. Malko se dirigea vers lui.

– Qui êtes-vous?

– Je suis aide-cuisinier, bredouilla le Grec, mais je ne suis au courant de rien.

– Vous n'avez rien vu quand ils ont enfermé cette femme dans l'armoire frigorifique?

Le Grec pointa son doigt vers le casier où Electra Yonnis rafraîchissait...

– C'est elle! fit-il d'un ton hystérique, elle était avec un Arabe. J'ai cru que c'était seulement pour lui faire peur, mais elle est partie avec la clef. C'était trop tard... C'est un accident.

– Ah bon, fit Malko, parce que c'est la coutume au Pirée d'enfermer les gens dans des glacières. Pour rire...

Le cuisinier baissa les yeux. De toute façon, il n'intéressait pas Malko. Ce dernier regarda sa montre : encore un bon quart d'heure. Les gémissements d'Electra se faisaient plus faibles.

Electra Yonnis ne tenait plus debout, de minuscules cristaux de glace incrustés sur son visage, le teint livide, les lèvres blanches. Il fallut que Chris Jones lui enfourne le goulot d'une bouteille d'ouzo dans la gorge pour qu'elle se mette à tousser et sorte de sa léthargie.

Ses dents claquaient et tout son corps était secoué de tremblements convulsifs... Malko pensa à ce qu'avait dû endurer la malheureuse Lili Panter et n'en fut que plus déterminé. Il y avait des moments où le code de chevalerie supportait quelques accrocs...

La scène ressemblait à un tableau surréaliste macabre avec le maître d'hôtel effondré dans une mare de sang et Lili Panter encore allongée sur son lit de glace.

– Vous êtes décidée à collaborer? demanda Malko.

Electra Yonnis se contenta de bredouiller, le regard vitreux.

– J'ai froid! j'ai froid!

Elle continuait à claquer des dents. Malko était partagé entre la pitié et le dégoût. Il fallait la briser tout de suite ou elle se reprendrait. Electra était le dernier lien avec l'homme qu'il traquait.

– Chris, dit-il, remettez-la dans son casier. On s'en va.

Cette fois, Electra poussa un cri déchirant et s'agrippa à lui.

– Non, non! supplia-t-elle. Pas ça.

– Où se trouve Anouar Rashimi? demanda Malko.

Le regard de la Grecque demeura flou quelques secondes et il sentit qu'elle était en proie à une profonde lutte intérieure. Puis quelques mots tombèrent de ses lèvres.

– Il a quitté Athènes.

C'est ce que craignait le plus Malko. Plus rien ne pouvait arrêter l'opération Intiqam.

– Par où?

– La Yougoslavie.

– Et ensuite?

– Je ne sais pas.

– C'est vous qui l'avez aidé à partir...

– Non.

Décongelée, elle se remettait à mentir. Malko sentit qu'il devait reprendre l'avantage. Il se tourna à nouveau vers Chris Jones, s'écartant de la Grecque.

– Remettez-la dans la glace et qu'elle y reste! lança-t-il.

Electra recommença à se débattre furieusement, le regard fou, les traits déformés par la terreur. Mais elle ne pouvait rien contre la poigne du gorille. En quelques secondes, elle se retrouva allongée sur la glace, cette fois, les pieds les premiers.

– Fermez le casier, ordonna Malko.

Chris Jones obéit. Avec ses mains, Electra s'accrocha de toutes ses forces à la paroi de la glacière, empêchant le casier de se refermer complètement. Malko se pencha sur elle.

– Vous allez subir le sort de celle que vous avez assassinée, dit-il. Vous ne me servez plus à rien.

– Je ne l'ai pas fait exprès, hurla-t-elle. Je vous jure, je voulais revenir.

Impossible de savoir si elle disait la vérité. Mais cela n'avait plus qu'une importance académique... Il poussa pour fermer le tiroir et les hurlements d'Electra Yonnis redoublèrent :

– Non, non, pas ça, je vous en supplie. Je vais tout vous dire.

– Quoi?

– Anouar Rashimi, je sais où il est. Il doit être encore en Grèce.

Le cœur de Malko battit plus vite. Il tira le casier vers lui.

– Où?

– Il est parti en voiture aujourd'hui, balbutia-t-elle. Vers Salonique. Il n'est sûrement pas encore arrivé, car il doit s'arrêter pour dormir, en route.

– Pourquoi Salonique?

– Il doit rencontrer des gens qui l'aideront à sortir du pays, là-bas. Pour franchir la frontière, il prend le train.

Salonique se trouvait dans le nord de la Grèce. A une heure d'avion à peine. Il était facile d'intercepter Anouar Rashimi si Electra collaborait. Celle-ci le fixait anxieusement. La peur d'une mort horrible effaçait toutes ses convictions politiques. Mais cela risquait de ne pas durer.

– Donnez-moi plus de détails, demanda-t-il.

– Il doit rejoindre un Irakien à Salonique, expliqua-t-elle. Notre organisation a fourni la voiture et le chauffeur pour le conduire là-bas. C'est moi qui m'en suis occupée. Ils couchent en route, parce que le train ne part que le matin.

– Vous connaissez le lieu du rendez-vous?

– Oui.

– Vous êtes prête à venir là-bas avec nous?

Electra s'ébroua, écartant de son corps sa robe trempée qui dessinait ses seins et protesta d'une voix plaintive.

– Vous savez bien que si je fais cela, je suis perdue. Même mon père ne pourra pas me protéger...

Malko haussa les épaules.

– Tant pis. Dans ce cas, c'est tout de suite que vous allez mourir.

Pour renforcer ce qu'il venait de dire, il commença à repousser le casier.

Aussitôt Electra se cramponna à la paroi de toutes ses forces.

– D'accord, d'accord, je vais venir avec vous!

Malko rouvrit le casier complètement. Electra en sortit, roula à terre et se releva, les yeux fous. Ses complices la regardaient avec un mélange d'horreur et de fascination.

– Ces hommes appartiennent à votre organisation? demanda Malko.

– Oui.

– Conseillez-leur de se taire.

Electra Yonnis s'adressa d'une voix hachée aux deux survivants de son équipe, puis se tourna vers Malko.

– Ils ne diront rien. Ni à mes amis ni à la police.

Malko se tourna vers Chris Jones.

– Chris, je vais vous demander un sale boulot.

Enveloppez le corps de Lili dans une toile et mettez-le à l'arrière de notre voiture. Je ne voudrais pas qu'il disparaisse bêtement au fond de la mer.

– Et ensuite, qu'est-ce qu'on va en faire? demanda le gorille, suffoqué.

– Si tout se passe bien avec Miss Yonnis, Robert Alcorn s'en chargera. Sinon, nous irons le remettre à la police.

Chris s'exécuta et sortit le premier, le cadavre sur une épaule, suivi de Malko et Milton, encadrant la jeune femme toujours grelottante.

– Je dois passer chez moi, demanda-t-elle, pour me changer.

Ils l'y escortèrent. Chris était arrivé à tasser la malheureuse Lili dans le coffre de la Nissan.

Par précaution, Malko resta dans la chambre d'Electra tandis qu'elle se changeait, dépouillant ses vêtements trempés pour les remplacer par un jeans et un pull. Elle avait un corps musclé avec une poitrine haute et pointue, des fesses cambrées et les chevilles fines. Une belle bête. Sans maquillage, elle paraissait dix-huit ans.

– Je suis prête, dit-elle simplement.

Malko plongea son regard dans le sien.

– Ne cherchez pas à jouer double jeu, avertit-il. L'enjeu est trop important pour qu'on vous fasse de cadeaux.

Ils quittèrent son appartement, direction l'*Hôtel de Grande-Bretagne*. Il n'y avait pas beaucoup de temps pour organiser la riposte... Après avoir déposé Electra Yonnis encadrée des deux gorilles, il fonça au domicile de Robert Alcorn à Psychico. C'était le moment pour la CIA de se décarcasser. Seul un avion privé leur permettrait d'être à l'heure à Salonique.

*
**

Malko regardait le sommet du mont Olympe, sur la gauche, recouvert de neige. Ils avaient décollé quarante minutes plus tôt de l'aéroport Ouest d'Athènes dans un *Learjet* mis à la disposition de la Company par le propriétaire des raffineries qui fournissaient son mazout à la VIe flotte américaine croisant en Méditerranée. Raffiné à partir de pétrole libyen. Lui n'avait *rien* à refuser aux Etats-Unis. Il avait réveillé en pleine nuit son pilote et serait venu nettoyer le pare-brise si on le lui avait demandé. Le pilote se retourna et cria :

– Nous commençons notre descente sur Salonique.

Encore dix minutes. Au loin, on apercevait les massifs montagneux séparant la Grèce de la Yougoslavie. Ici, le maquis communiste grec avait tenu des années contre le pouvoir central... Malko regarda Electra qui dormait la tête sur le côté, la bouche entrouverte. La jeune femme n'avait pas opposé la moindre résistance. Au *Grande-Bretagne*, installée sur le lit jumeau de Malko, elle n'avait pas dormi, se contentant de fumer sans arrêt, le regard dans le vide. Lui avait appelé Christina Balassis dès que tout avait été réglé.

– J'espérais que vous alliez revenir, avait dit la jeune femme.

– Au retour de Salonique, promit Malko.

Il avait essayé de se reposer un peu. Electra n'avait pas dû fermer l'œil.

Avant de monter dans le Learjet, elle s'était retournée et lui avait simplement lancé :

– Vous êtes le diable, vous brisez ma vie, je ne pourrai plus jamais me retrouver devant mon père.

Malko n'avait rien répondu : à quoi bon?

Chris et Milton somnolaient, harnachés comme des chasseurs-bombardiers. Le bon côté de l'avion privé c'est qu'on pouvait voyager avec son artillerie. D'après Electra, le rendez-vous avec l'Irakien était à neuf heures, à la gare, vingt minutes avant le départ du train pour Skopje. Ils avaient le temps. Il avait demandé par radio une voiture de location.

Electra Yonnis ouvrit les yeux et posa un regard distrait sur la masse blanchâtre de la ville qui se rapprochait. Chris Jones s'étira, faisant saillir les jambons de Virginie qui lui servaient d'avant-bras et soupira :

– Je suis tellement fatigué que je voudrais être mort !

C'est tout juste si Milton Brabeck ne fit pas le signe de croix... En lui jetant un regard noir, il lança :

– Ne dis pas de conneries comme ça, un malfaisant pourrait t'entendre et combler tes vœux...

Quand les roues du Learjet touchèrent le sol, tout le monde était bien réveillé. L'appareil se dirigea vers le parking des avions privés et ils débarquèrent devant un douanier endormi qui ne leur demanda rien. Miracle, la voiture était là ! Une vieille Mercedes qui avait dû faire le tour de la Terre, briquée comme une alliance de jeune mariée... Il faisait nettement plus frais qu'à Athènes et Chris éternua.

En route pour le centre de Salonique. En vingt minutes, ils l'eurent atteint. La circulation était encore modérée. On se serait cru en Turquie, cela sentait plus l'Asie qu'Athènes. Electra le guida jusqu'à la gare, modeste bâtiment en plein cœur de la ville. Ils trouvèrent juste en face une taverne qui leur offrit comme petit déjeuner les inévitables mézés, de l'ouzo et de la bière. Avec, bien sûr, le café turc rebaptisé grec par chauvinisme béat. Electra en but trois coup sur coup. Ses mains en tremblaient et sa nervosité augmentait à chaque seconde. Tout à coup, elle se leva et lança à Malko :

– Je ne peux pas, je m'en vais.

Chris Jones avait déjà la main sur la crosse de son Desert Eagle. Un seul de ses projectiles transformerait la frêle jeune femme en charpie. Malko essaya de conserver son sang-froid. Il la rattrapa et la força à se rasseoir.

– Qu'est-ce qu'il y a ?

– Ce que je fais est ignoble, explosa-t-elle. Ignoble !

Je ne pourrai plus jamais me regarder devant une glace.

– Vous allez empêcher une tuerie, plaida Malko.

Electra secoua ses longs cheveux noirs.

– Je m'en fous! Tous des bourgeois, des capitalistes. Qu'ils crèvent! (Elle lui lança un regard de défi, les yeux flamboyant de fureur.) D'ailleurs, je m'en fous, je ne vous dirai plus rien.

Il sentit une main géante lui comprimer l'estomac. Des voitures s'arrêtaient tout le temps devant la gare. Bien sûr, il avait vu une photo d'Anouar Rashimi, mais celui-ci pouvait avoir légèrement changé son apparence ou s'être grimé. Electra Yonnis cherchait toujours à lui échapper. Que pouvait-il tenter à la terrasse de ce café? Le moindre scandale ferait tout échouer. Il sentait la jeune Grecque prête à exploser comme une cocotte-minute.

Chris et Milton, dépassés, demeuraient immobiles comme des statues. Electra, avec un regard méchant pour Malko, répéta :

– Allez vous faire foutre! Je ne vous aiderai pas. Je vais le prévenir!

Soudain, déjouant la vigilance de Malko, elle s'arracha de lui et détala. Milton saisit son poignet au vol. Electra se pencha et enfonça de toutes ses forces ses crocs dans la main du gorille. Malgré son entraînement, l'Américain lâcha prise avec un juron. Aussitôt, la jeune femme partit en courant, traversant la place en diagonale, les deux Américains sur ses talons. Elle courait à une vitesse stupéfiante, semblant voler au-dessus du sol.

Elle perdit une de ses chaussures, trébucha, et se pencha pour la ramasser. Ce qui l'empêcha de voir arriver un camion. Le conducteur de celui-ci n'eut pas le temps de freiner. Son pare-chocs avant heurta violemment la jeune femme au moment où elle se relevait. Avec horreur, Malko la vit parcourir une parabole de plusieurs mètres avant de retomber, inerte, sur le macadam... Chris et Milton s'arrêtèrent net.

Electra ne se releva pas. Le chauffeur du camion descendit et se précipita vers le corps étendu. Rejoint par des passants. Chris Jones se glissa au premier rang, observa la scène quelques instants et revint vers Malko à grandes enjambées.

– Elle est morte, annonça-t-il.

CHAPITRE XI

Huit heures trente-cinq. Malko suivit d'un regard découragé l'ambulance qui emportait le corps d'Electra Yonnis. La foule se dispersait et un cantonnier répandait du sable là où elle avait saigné à mort. Il avait un goût de cendres dans la bouche. Electra n'aurait pas de comptes à rendre à son père. C'était peut-être mieux ainsi. Mais comment allait-il identifier Anouar Rashimi à coup sûr?

– Qu'est-ce qu'on fait? demanda Chris Jones.

– On va attendre sur le quai d'où part le train pour Skopje, dit Malko.

Tout à coup, il eut une illumination. La voiture venait d'Athènes, elle aurait donc une plaque minéralogique différente de celles de Salonique.

– Nous allons nous séparer en deux groupes, dit-il. Chris va rester ici et surveiller toutes les voitures qui s'arrêtent devant la gare. Celle qui nous intéresse est immatriculée à Athènes. C'est écrit en toutes lettres : ATHINA. Si vous voyez débarquer quelqu'un qui ressemble au signalement d'Anouar Rashimi, vous entrez derrière lui.

Milton Brabeck frotta nerveusement sa barbe dure comme du papier de verre.

– OK, à supposer que tout se passe bien. Mais, s'il fait un scandale, qu'on ne puisse pas l'embarquer...

Malko avait réfléchi à cette éventualité.

– Nous ne pouvons pas le laisser partir dans la nature, dit-il gravement. A aucun prix.

Milton Brabeck ne répondit pas. Il vérifia qu'il avait son silencieux et partit vers les toilettes. Il n'aimait pas abattre quelqu'un de sang-froid, mais c'était la guerre. Lorsqu'il revint, Malko avait payé et il se dirigea avec lui vers l'entrée de la gare, laissant Chris Jones en faction. Heureusement, à part les convois locaux, il n'y avait que deux trains en partance : l'un pour Athènes, l'autre pour la Yougoslavie... Ils suivirent le quai et montèrent dans le wagon de tête, inspectant ensuite tout le train encore à moitié vide. Le haut-parleur de la gare hurlait sans arrêt des informations en grec, vrillant les oreilles.

Ils arrivèrent au dernier wagon du train, sans avoir repéré Rashimi. Il n'y avait plus qu'à attendre.

Malko, tendu comme un arc, n'arrêtait pas de scruter les voyageurs arrivant sur le quai. Beaucoup de familles, des gens simples, chargés de ballots, de vieilles valises en carton, des immigrants, des travailleurs frontaliers yougoslaves repartant dans leur pays.

Il était neuf heures et quart et le train partait cinq minutes plus tard. Anouar Rashimi ne s'était pas montré.

Il avait pu avoir un accident, un retard sur la route, ou encore avoir décidé un changement de programme. Même Electra ne l'aurait pas su...

Le haut-parleur lança une phrase incompréhensible où Malko saisit le mot « Skopje ». Le départ était imminent.

Dix secondes plus tard, les deux hommes firent leur apparition à l'entrée du quai. Derrière eux, la haute silhouette de Chris Jones! Ce qui attira au premier regard l'attention de Malko, c'était la disparité entre les deux hommes. L'un était habillé correctement, avec une chemise blanche et une cravate et ne portait aucun bagage, l'autre ressemblait à tous les Grecs moyens, vêtu comme l'as de pique, un béret sur la tête. Une grosse moustache et des lunettes fumées.

C'était l'homme de la photo : Anouar Rashimi.

Malko en fut instinctivement persuadé. Les deux hommes s'arrêtèrent en face d'un wagon de seconde et s'étreignirent sur le quai. Puis, l'homme à la cravate fit demi-tour, tandis que Rashimi se dirigeait vers l'entrée du wagon.

– C'est lui, annonça Malko à Milton Brabeck. Montez vite dans le wagon.

Un peu plus loin, deux policiers grecs bayaient aux corneilles. Le quai grouillait de monde, des dizaines de marchands ambulants l'arpentaient sans cesse et les voyageurs déjà installés regardaient avec curiosité ce qui se passait pour tuer le temps. Vraiment l'endroit idéal pour un kidnapping!

Anouar Rashimi était en train de monter dans son wagon quand on le tira en arrière. Il se trouva face au visage souriant de Chris Jones qui, en un clin d'œil, l'eut immobilisé en l'étreignant. Au même moment, de l'intérieur du wagon surgit Milton Brabeck, braquant son pistolet prolongé par le silencieux sur le Palestinien. D'où il se trouvait, personne ne pouvait le voir. Affolé, Anouar Rashimi chercha à se débattre, pour tomber face à Malko.

– Vous avez le choix, Mr. Rashimi, fit ce dernier, prendre tout de suite une balle dans la tête ou nous accompagner.

Il ne put en dire plus, le haut-parleur crachait ses ultimes avertissements et la locomotive envoya un long coup de sifflet. Des gens agitaient les bras le long des wagons verts. Mettant son pistolet dans sa poche, Milton Brabeck redescendit, enfonçant l'arme dans la hanche du Palestinien. De loin, on aurait dit un groupe de gens venus accompagner des voyageurs. Pour faire plus vrai, Malko agita le bras en direction du train.

Quelques grincements : les wagons s'ébranlèrent avec une lenteur exaspérante. Anouar Rashimi voulut bouger, mais se retrouva bloqué par les trois hommes. Les wagons défilaient devant eux de plus en plus vite... Malko tourna la tête : les deux policiers s'éloignaient vers le buffet. Le quai était maintenant presque vide. Discrètement, les deux gorilles empoignèrent chacun le Palestinien par un bras et, le soulevant pratiquement du sol, se dirigèrent vers la sortie. Malko ouvrait la marche.

Ce furent les mètres les plus longs du monde. Comme assommé, Anouar Rashimi ne cherchait même plus à se défendre. Au moment de passer sur le trottoir, il murmura :

– Vous êtes israéliens?

Cela ressemblait aux méthodes du Mossad.

– Non, fit Malko. Et nous ne voulons même pas vous tuer. Juste vous poser quelques questions.

Il essaya encore de se débattre un peu au moment où on l'enfournait dans la Mercedes. Chris Jones prit place à côté et lui enfonça immédiatement le canon de son arme dans le flanc, tandis qu'il le fouillait de l'autre main, sans trouver aucune arme. Au moment de monter dans la voiture, Malko eut un pincement de cœur. L'homme qui avait accompagné Anouar Rashimi contemplait la scène, à quelques mètres de distance.

Lorsqu'il se vit observé, il tourna vivement la tête et disparut. Malko se dit que cela n'avait plus grande importance. Prenant le volant, il démarra, Milton Brabeck à ses côtés inspectant le sac de voyage de leur prisonnier. Sans rien y trouver d'ailleurs que des affaires de rechange. En bon professionnel, le Palestinien se murait dans le silence, le regard dans le vide, fuyant tout contact, ne cherchant même pas à s'enfuir. Il savait que si on ne l'avait pas tué tout de suite, on ne l'emmenait pas pour l'abattre. A la gare, dans le brouhaha, c'eût été facile.

Le silence pesant se prolongea jusqu'à l'aéroport de

Salonique. Heureusement, il n'y avait aucun contrôle et Malko put faire arrêter la Mercedes à côté du Learjet. Trente secondes plus tard, Anouar Rashimi y était installé, surveillé par les deux gorilles. Le pilote, à son cockpit, commença sa check-list et Malko poussa un « ouf » intérieur de soulagement. Sa mission quasi-impossible avait réussi. Le pilote ne s'enquit même pas de la personnalité du nouveau passager et ne chercha pas à savoir ce qu'était devenue Electra Yonnis.

On était entre gens de bonne compagnie...

Malko alla s'asseoir en face d'Anouar Rahsimi, cherchant son regard derrière les verres épais de ses lunettes fumées.

– Mr. Rashimi, demanda-t-il, êtes-vous disposé à collaborer avec nous?

Le Palestinien le regarda longuement avant de répondre dans un anglais cahotant.

– Je ne sais pas qui vous êtes, mais peu importe. Je ne sais rien, je ne répondrai à aucune question.

Ostensiblement, il tourna la tête vers le hublot et ferma les yeux. Les vrais problèmes commençaient... Chris Jones le regardait avec l'air d'un chat devant un canari bien gras.

– Ce ne serait pas le type qui a poussé le vieux juif infirme à la mer durant le détournement de l'*Achille Lauro*?

– Vous n'êtes pas tombé loin, dit Malko.

Il se demanda tout à coup comment allait se dérouler la suite. Ses options étaient limitées : il ne pouvait pas le remettre aux Grecs, ni le garder avec lui à l'*Hôtel de Grande-Bretagne*. Il restait la propriété de Sounion appartenant à Stephanis Dimitsanos. Et là, il faudrait faire parler Anouar Rashimi. Comment?

Une fois de plus, il se trouvait confronté ouvertement au problème du terrorisme. L'homme en face de lui détenait la clef d'une opération qui pouvait coûter la vie à des centaines de personnes. Il n'avait ni remords ni scrupules et, lui, Malko, devait normalement se plier au droit.

– Et vous travaillez avec des Irakiens, dit Malko. Nous le savons. Nous connaissons tout votre parcours. Et la raison de votre présence en Europe. Votre chef Abu Ibrahim a passé un accord avec Saddam Hussein pour se livrer à une offensive terroriste de grande envergure en Europe. L'homme qui vous avait remplacé, Abu Saif, est mort. Le Moukhabarat l'a abattu, pensant qu'il avait trahi.

« Si vous acceptez de continuer votre mission comme si de rien n'était et de nous permettre de l'infiltrer, la CIA vous fera une proposition très intéressante.

C'était une idée de Robert Alcorn, après consultation de Langley. De toute façon, après avoir été en contact avec la CIA, Anouar Rashimi était grillé aux yeux de ses amis. Peut-être comprendrait-il qu'il n'avait pas le choix. Une bonne affaire aussi. Les Israéliens – le Mossad – étaient prêts à « racheter » le Palestinien à la Company pour plusieurs millions de dollars. Anouar Rashimi fit comme s'il n'avait rien entendu. Malko avait l'impression de parler à un mur. Les minutes s'égrenaient, ils approchaient d'Athènes. La situation était toujours bloquée. Quand le pilote attaqua son approche finale, Malko n'avait pas avancé d'un millimètre.

Le Learjet se posa en douceur sur la piste, le long de la mer Egée et commença à rouler vers son parking. Soudain, Malko aperçut une voiture équipée d'un gyrophare qui se dirigeait vers l'avion.

– Qu'est-ce que c'est? demanda-t-il au pilote.

Ce dernier était en train de parler avec la tour de contrôle. Il se retourna, l'air embarrassé.

– C'est la police. Ils disent que nous détenons un citoyen grec contre sa volonté... Ils exigent de monter à bord pour le libérer. Qu'est-ce que je fais?

– Surtout, vous n'ouvrez pas! intima Malko.

Il fouilla dans les documents du Palestinien et découvrit son passeport grec. Il n'était pas assez expert pour juger de sa véracité, mais il lui sembla parfaitement en règle. L'Irakien de Salonique avait donné l'alerte et ses homologues d'Athènes avaient réagi vite, alertant leurs correspondants grecs.

– Pouvez-vous appeler l'ambassade américaine? demanda-t-il.

– Je vais essayer.

Quelques minutes plus tard, il se retourna, désolé.

– Impossible, il y a trop d'interférences.

– Très bien, dit Malko, faites demi-tour et roulez jusqu'au bout de la piste, comme si vous alliez décoller.

Le pilote obéit sans poser de questions. Il s'arrêta à quelques mètres du grillage séparant l'aéroport de la route du bord de mer menant à Glyfada. La voiture de police n'avait pas suivi. Malko se retourna vers les gorilles.

– Je vais chercher du secours. Restez ici, n'ouvrez en aucun cas à la police. Mettez-lui une balle dans la tête s'ils forcent la porte de l'avion. Je reviens le plus vite possible.

Il ouvrit la porte avant et l'escalier se déplia automatiquement jusqu'au sol.

– Vous allez me faire perdre ma licence! gémit le pilote grec.

Malko sauta à terre sans même l'écouter. Derrière lui, Chris Jones referma la porte et s'installa en face d'Anouar Rashimi, son Desert Eagle au poing. Il le brandit devant le Palestinien avant de lui dire d'une voix amicale :

– Tu vois, j'aime pas toujours ce que font les Israéliens. Mais ce truc-là, c'est super. Avec une seule cartouche, on peut faire éclater la tête d'une ordure comme toi et il ne reste que de tous petits morceaux.

Malko trépignait devant une cabine téléphonique occupée par une jeune femme depuis cinq minutes. Impossible de trouver un taxi. Enfin, elle sortit avec un sourire d'excuses et il se rua sur l'appareil où il glissa une pièce de dix drachmes.

L'ambassade U.S. sonnait occupée! Il composa le numéro du QG de la police et demanda Christina Balassis. Elle décrocha.

– C'est Malko, vous êtes seule?

– Oui.

– J'ai besoin de vous.

Il lui expliqua ce qui se passait, demandant de s'informer de toute urgence.

– Très bien, dit-elle, j'appellerai d'une cabine Robert Alcorn. Dès que je sais quelque chose.

Il raccrocha et refit le numéro de l'ambassade, réussissant, cette fois, à joindre le chef de station de la CIA à qui il fit son rapport. L'Américain n'entendit qu'une chose : Anouar Rashimi était entre leurs mains.

– Je vous envoie une voiture tout de suite, dit-il, et je m'occupe des Grecs. Il faut avant tout que je prévienne l'ambassadeur. Pour lui rappeler que nous agissons sous la couverture d'un « finding » présidentiel et qu'il s'agit d'arrêter une opération terroriste majeure. Sinon, il va commencer la valse des ronds de jambe.

Depuis une demi-heure, Robert Alcorn luttait pour obtenir Vassili Kavirion, patron du KYP. Le seul à pouvoir lui arranger le coup. Tous ses autres interlocuteurs grecs s'étaient défilés les uns après les autres. Malko débarqua, en sueur, épuisé et furieux, au moment où le chef de station raccrochait d'avec Christina Balassis. La jeune femme grecque avait facilement pu reconstituer ce qui s'était passé.

Sa secrétaire lui annonça enfin que le général Kavirion le rappelait.

– Que se passe-t-il? demanda le Grec d'un ton jovial. On ne peut plus jouer au golf tranquille? La guerre est déclarée avec les Turcs?

Le chef de station de la CIA n'était pas vraiment d'humeur badine.

– Général, il faut que je vous voie immédiatement, annonça-t-il. Pour un sujet extrêmement grave.

L'officier grec hésita, mais la Grèce était membre de l'OTAN et il y avait des limites qu'il ne fallait pas dépasser avec les Américains. Même avec une opinion publique pro-arabe.

– Très bien, je vous attends rue Bouboulina, dit-il.

C'était le vieux centre du KYP où il avait gardé un bureau. Plus discret qu'ailleurs.

Quatre voitures bleu et blanc de la « Hellas Police » entouraient le Learjet parqué en face de l'aérogare privée de l'aéroport Ouest. Pâle comme un mort, le pilote avait coupé sa radio pour ne plus entendre les menaces proférées à son égard par le responsable de la tour de contrôle. Deux policiers armés étaient en faction sur le tarmac, gardant les portes du jet privé. A l'intérieur, l'ambiance était lourde, malgré la climatisation maintenue par les réacteurs tournant à faible régime. Chris Jones et Anouar Rashimi se regardaient en chiens de faïence, tandis que Milton surveillait l'extérieur par les hublots, afin de déjouer toute tentative violente de pénétrer dans l'appareil. Il regarda sa montre et soupira.

– *Holy shit!* Ça fait trois heures qu'il est parti...

Chris Jones s'essuya le front.

– On a des vivres et de l'air. C'est un peu comme si on était des cosmonautes.

Milton Brabeck ricana silencieusement.

Serein, le prisonnier attendait, les yeux mi-clos derrière ses lunettes fumées. Sa peur du début avait fait place à une grande sérénité. La présence de la police prouvait que ses amis grecs ne le laissaient pas tomber. Il avait l'habitude des situations difficiles et s'en était toujours sorti. Le tout était de ne pas se renier. Une seule chose le tracassait. Comment ces agents de la CIA l'avaient-ils retrouvé à Salonique? Très peu de personnes savaient son itinéraire. Quelqu'un avait trahi. Chez les Grecs.

Le général Vassili Kavirion aurait donné tous ses oliviers auxquels il tenait pourtant comme à la prunelle de ses yeux pour être ailleurs. Jamais, il ne s'était trouvé en face d'un dilemme aussi abominable. D'habitude, il arrivait à promener ses homologues américains, pas toujours au courant de la subtilité de la vie politique d'Athènes. Cette fois, le chef de station de la CIA avait bouffé du lion. Vissé sur sa chaise, il faisait son siège depuis une heure. L'homme qui l'accompagnait, le prince Malko Linge, ne semblait pas moins décidé. Ce que Robert Alcorn lui demandait était simple. En tant que responsable du KYP, homologue de la CIA, braver l'autorité du ministère de l'Ordre public.

– Alors, insista à nouveau l'Américain. Nous y allons?

L'officier général grec avait déjà donné une dizaine de coups de téléphone afin d'analyser la situation. Ce n'était guère brillant : le ministre de l'Intérieur en personne – pourtant de la Nouvelle Démocratie(1) – avait donné l'ordre d'arrêter les passagers du Learjet, d'interroger son propriétaire – bailleur de fonds important de tous les partis politiques – et enfin de libérer le citoyen grec détenu contre son gré.

Les subtiles combinaisons de la politique intérieure grecque expliquaient ces contorsions. Certes le Pasok

(1) Parti centre droit.

avait perdu le pouvoir, mais il contrôlait encore 40 % des députés.

Vassili Kavirion s'essuya le front, l'air misérable.

– Il s'agit d'un citoyen grec, répéta-t-il d'une voix plaintive. Je ne peux pas ne pas le défendre.

Robert Alcorn crut qu'il allait exploser. C'était le retour à la case départ. Il se pencha par-dessus le bureau, écarlate.

– Vous savez très bien que c'est un terroriste palestinien et que son passeport est faux. Vous avez un dossier sur lui au KYP. C'est facile de venir avec.

– L'Intérieur me jure que son passeport est authentique, protesta le général.

Le chef de la station de la CIA ricana.

– L'Intérieur n'a même pas vu son passeport. Vous et moi savons qu'il est faux. Ou alors, Rashimi a été naturalisé grec clandestinement. En prison...

Le silence retomba, pesant. Le Grec s'essuya à nouveau le front. C'était l'impasse. Son vis-à-vis le fusilla du regard.

– Général, si vous vous obstinez dans votre obstruction, l'ambassade va diffuser une protestation *publique* dénonçant la protection éhontée dont jouissent les terroristes dans votre pays... L'affaire sera évoquée à la prochaine réunion de l'OTAN. Pour vous qui voulez tellement vous comporter mieux que les Turcs, c'est mal parti. En Turquie, cet homme serait déjà entre nos mains. Je vous ai expliqué ce qu'il préparait.

– Les Turcs sont des sauvages, grommela l'officier.

Cela ne résolvait pas le problème.

Pour le général Kavirion, l'alternative était simple. Ou il cédait à Robert Alcorn et sa carrière était fichue. Il se retrouverait sur une voie de garage et n'aurait jamais sa troisième étoile. Ou il refusait, et le gouvernement se servirait de lui comme « fusible » et le sacrifierait à la fureur américaine qui allait se manifester très vite. Il chercha désespérément une troisième voie.

– Ecoutez, proposa-t-il pour gagner du temps. Allons à l'aéroport.

– Et Anouar Rashimi?

– On ne le remettra pas en liberté tant que la question de son passeport n'aura pas été réglée. Je ne peux pas faire plus, assura le général du KYP. De plus, la police d'Attique ne m'obéit pas. Voulez-vous que je vous retrouve là-bas?

Au moment où Robert Alcorn allait refuser, Malko le poussa du coude discrètement.

– D'accord, dit-il avant le chef de station. A une condition. Je veux m'entretenir seul quelques instants avec Anouar Rashimi, dans l'avion, avant de vous le remettre.

Le général Kavirion sembla aussi surpris que Robert Alcorn par la proposition de Malko.

– Ce n'est pas un piège? interrogea le Grec, méfiant.

– Absolument pas, affirma Malko. La porte de l'appareil demeurera ouverte, si vous y tenez.

– Dans ce cas, j'accepte, dit le patron du KYP.

Il s'était déjà levé, soulagé.

– Alors, à tout à l'heure, lança-t-il.

Dès qu'ils se retrouvèrent dehors, l'Américain apostropha Malko, furieux.

– Qu'est-ce qui vous prend! Nous allons encore nous faire baiser... Il fallait insister, le coincer.

– Robert, dit Malko, ce général est impuissant. On va lui faire sauter les plombs. J'ai voyagé avec Anouar Rashimi. C'est un dur et on n'en sortira rien. Nous avons peut-être commis une erreur. Au lieu de l'intercepter à Salonique, nous aurions dû le suivre à travers l'Europe jusqu'à sa destination finale. Même si c'était à la limite de l'impossible.

– C'est trop tard, maintenant.

– Exact. Impossible de prendre les Grecs de front. Il n'y a plus qu'une carte à jouer.

– Laquelle?

– Je vais vous l'expliquer.

Ce qu'il fit tandis que la voiture dévalait l'avenue Syngrou pour rattraper le boulevard Possidonos, longeant la mer Egée. Robert Alcorn se calma peu à peu.

– C'est évidemment une solution, reconnut-il, mais dans votre première hypothèse, nous risquons de sérieux problèmes.

– Personne ne pourra rien prouver, fit Malko froidement, et il n'y a pas d'autre solution.

– C'est vrai, reconnut Robert Alcorn. Mais nous ne sommes pas sortis de la merde.

Et encore, c'était un euphémisme...

Le silence retomba tandis que la voiture se faufilait dans la circulation démente. Bien qu'Athènes ait inauguré le système où les voitures immatriculées avec un numéro pair ne roulaient que les jours pairs et, inversement, cela n'avait pas amélioré le trafic. Les Grecs avaient simplement acheté une seconde voiture...

Robert Alcorn ralentit : ils arrivaient à l'entrée de l'aérogare Ouest. Dans quelques minutes, ils allaient savoir s'il était encore possible d'enrayer l'opération terroriste commandée par Saddam Hussein.

Malko avait parcouru le *Herald Tribune*. Le pilonnage de l'Irak continuait, avec des milliers de tonnes de bombes par jour. Presque une routine. Saddam Hussein se terrait dans ses blockhaus et on attendait l'assaut sur le Koweit.

Amèrement, il se dit que le plan original de Robert Alcorn avait raté : retourner « en douceur » Anouar Rashimi pour qu'il continue en apparence sa mission... Maintenant, les Irakiens l'avaient déjà remplacé ou étaient en train de le faire. Pour une raison qu'il ignorait encore, ce ne devait pas être si facile, sinon, ils n'auraient pas de nouveau fait appel à un homme traqué.

Tout ce qu'ils pouvaient espérer maintenant, c'était qu'il leur livre le secret de la dernière partie de sa mission. Afin qu'ils puissent neutraliser l'opération Intiqam.

Il allait falloir le motiver sérieusement...

CHAPITRE XII

Malko monta les marches métalliques de la passerelle du Learjet, l'estomac noué. Il aperçut dans l'ombre de la cabine la haute silhouette de Chris Jones, son énorme Desert Eagle au poing. C'est sur l'ordre express de Malko qu'il venait de déclencher l'ouverture de la porte, de l'intérieur. Il avait l'air de sortir d'une essoreuse, les cheveux plaqués par la transpiration, les vêtements froissés, le visage couvert de sueur.

– La clim est tombée en panne, annonça-t-il.

L'intérieur du Learjet ressemblait à un sauna. Milton Brabeck, assis en face d'Anouar Rashimi, leva un regard torve sur Malko.

– On déménage ou on crève ici?

Malko se retourna. Plusieurs voitures de police bloquaient le Learjet et une dizaine de policiers piétinaient sous le soleil brûlant. La Mercedes noire du général Kavirion se trouvait à peu à l'écart. Le patron du KYP en était sorti, plongé dans une conversation animée avec l'officier responsable du blocus.

– Venez, Chris, il faut que je vous parle, dit Malko.

Il entraîna le gorille au fond de l'appareil pour un bref conciliabule. Un porte-voix hurla trois minutes plus tard.

– Sortez tous les mains en l'air ou nous donnons l'assaut.

Le général Kavirion s'impatientait... Malko adressa un sourire complice à Chris Jones.

– On y va. Je sors le premier. Ensuite, vous, Rashimi et Milton.

Il émergea sur l'escalier métallique et rejoignit le général Kavirion et Robert Alcorn sur le tarmac brûlant. On se serait cru au mois de juin.

– Tout est en ordre, annonça-t-il. Comme vous nous l'avez promis, général, nos hommes ne seront pas inquiétés, pas plus que le pilote.

– C'est d'accord, grommela le patron du KYP.

Chris Jones apparut sur la passerelle, suivi d'Anouar Rashimi, qui faillit tomber, rattrapé de justesse par le gorille.

– Vous vous êtes engagé à ce que Mr. Rashimi ne quitte pas le territoire grec tant que la question de son passeport n'aura pas été résolue, renchérit Robert Alcorn.

– Pour l'instant, pour moi ce n'est pas Rashimi, mais un citoyen grec, contra le général.

Le « citoyen grec » était déjà entouré par les policiers, qui lui faisaient une muraille de leurs corps. Milton Brabeck, hagard, rejoignit à son tour Malko.

– Une dernière chose, réclama ce dernier. Nous aimerions demander *officiellement* à Mr. Rashimi – en votre présence – quelle est sa véritable identité. Cela ne peut que vous couvrir pour la suite...

Visiblement excédé, mais pressé d'en finir, le général Kavirion échangea quelques mots à voix basse avec le chef des policiers.

– C'est d'accord, dit-il en revenant. Mais que ce soit bref.

– Ce sera bref, affirma Robert Alcorn.

Lui et Malko, le général sur leurs talons, s'approchèrent du terroriste palestinien, impassible derrière ses verres fumés, encadré de policiers grecs.

– Etes-vous Anouar Rashimi? interrogea en anglais le chef de station de la CIA.

A lieu de répondre, le Palestinien se tourna vers le général Kavirion et lui demanda quelque chose en grec.

– Il dit ne pas comprendre l'anglais, affirma le général qui traduisit la question. Et il ne sait rien de la personne que vous évoquez.

Robert Alcorn demeura impassible.

– Peut-il le jurer sous serment?

Traduction stupéfaite du patron du KYP qui cherchait la cause de ce dialogue burlesque, et réponse, la main sur le cœur. Anouar Rashimi jurait qu'il n'était pas Anouar Rashimi. Pas sur le Coran, mais presque...

– Parfait, conclut Robert Alcorn. Nous sommes désolés de cette erreur.

Il tendit la main à Anouar Rashimi qui la prit machinalement. Malko l'imita, gardant dans la sienne la main du terroriste palestinien qui eut comme un geste de recul. Il souriait. D'une voix égale, assez bas pour que seul Rashimi l'entende, il dit :

– Vous avez dû ressentir un léger picotement lorsque je vous ai serré la main? C'est parce que j'ai dans ma paume un petit instrument que vos amis irakiens connaissent bien : une minuscule plaque de plastique revêtue de pointes acérées. Si elles avaient été enduites de cyanure, vous seriez déjà mort. Comme vous êtes toujours vivant, il s'agit de thallium.

Au mot thallium, les traits du Palestinien se figèrent. D'un geste très naturel, Malko lâcha la main d'Anouar Rashimi et la glissa dans sa poche, enchaînant de la même voix douce.

– Vous connaissez le thallium? C'est un poison mortel qui ne laisse aucune trace. Dans quelques heures, vous allez ressentir des douleurs dans les jambes, des vertiges, des difficultés respiratoires. Vous mourrez d'ici une quinzaine d'heures. Sans que rien ne puisse vous sauver.

Le général Kavirion s'approcha, trépignant intérieurement :

– C'est fini ?

– Mr. Rashimi, termina Malko, la CIA a mis au point un antidote contre le thallium. Seulement, il faut intervenir vite. Avant la fin de la journée. Réfléchissez. Vous connaissez l'adresse de l'ambassade américaine...

– Qu'est-ce que vous lui racontez ? grommela le général Kavirion, intervenant cette fois dans la conversation.

– Rien d'important, répliqua Malko. Je lui souhaitais bon voyage...

***

Il était quatre heures vingt quand un taxi s'arrêta devant l'entrée latérale de l'ambassade américaine dans la rue Kokali. L'homme qui en sortit était d'une grande nervosité. Dans un mauvais anglais, il demanda à parler à Robert Alcorn. Le Marine de garde, qui avait eu des instructions, le fit immédiatement escorter vers l'ascenseur.

Le chef de station de la CIA l'attendait, impassible, en compagnie de Malko.

– Mr. Rashimi, dit l'Américain, si j'en avais le pouvoir, je vous enverrais devant une juridiction de mon pays afin que vous soyez jugé pour vos actions terroristes passées. Il n'en est pas question pour le moment. Je suppose que vous n'avez pas révélé à vos amis grecs que vous veniez ici ?

– Non, laissa tomber Anouar Rashimi.

– Ni à vos commanditaires irakiens ?

– Non plus.

– Où vous croient-ils ?

– Toujours aux mains de la police grecque.

Les Irakiens n'allaient pas tarder à découvrir ou à soupçonner la vérité.

Malko prit la parole à son tour.

– Mr. Rashimi, l'alternative qui s'ouvre à vous est très simple. Ou vous nous communiquez les informations nécessaires pour arrêter immédiatement l'opération Intiqam et, dans ce cas, nous vous administrons l'antidote qui vous sauve la vie. Ou vous refusez de parler et vous mourez. Je suppose que si vous êtes ici, c'est que vous avez choisi la première option...

Anouar Rashimi semblait ne pas avoir entendu. Il dodelinait de la tête, comme pris d'un malaise soudain. Robert Alcorn se rua sur le téléphone.

– Faites monter dans mon bureau le médecin de l'ambassade! ordonna-t-il. Vite.

Le thallium était parfois capricieux...

*
**

La Mercedes blindée aux glaces noires fonçait à plus de cent trente à l'heure sur l'autoroute menant de Bagdad à la frontière jordanienne, escortée de deux autres véhicules bourrés de civils armés. Elle bifurqua quelques kilomètres après les faubourgs pour s'engager dans un chemin de traverse gardé par des blindés. Un peu plus loin, des chicanes la forcèrent à s'arrêter. Plusieurs soldats de la Garde Républicaine examinèrent les papiers de ceux qui s'y trouvaient.

Le convoi repartit et s'engouffra cent mètres plus loin dans un tunnel protégé par une porte blindée gardée par des nids de mitrailleuses lourdes. Cette entrée desservait tout un réseau souterrain relié à divers blockhaus. Un colonel accueillit l'occupant de la Mercedes, Abu Ibrahim, responsable de l'Organisation du 15 Mai.

– Le Président va vous recevoir, annonça-t-il. Suivez-moi.

Saddam Hussein les attendait dans un petit blockhaus où on pouvait tout juste se tenir debout, assis seul à une table, devant des documents. Il était nu-tête, pâle et visiblement furieux.

Après une courte accolade, il rappela à son interlocuteur tout ce que l'Etat irakien avait fait pour l'Organisation du 15 Mai. Les facilités qu'il leur avait accordées, y compris d'importants avantages matériels et financiers. Le chef de l'Organisation du 15 Mai se faisait tout petit, se demandant ce que signifiaient ces reproches à peine voilés. Jusqu'au moment où Saddam Hussein lui mit sous le nez un télex juste reçu de l'ambassade d'Irak à Athènes, expédié par le responsable du Moukhabarat. Anouar Rashimi avait disparu, probablement « retourné » par les Américains. Abu Ibrahim reçut ce dernier coup en pleine figure et alluma une cigarette pour dissimuler son trouble. Deux jours plus tôt, un missile *Tomahawk* avait pulvérisé la permanence de son organisation, tuant plusieurs de ses collaborateurs. Lui-même avait déménagé, craignant que les Américains ne bombardent sa villa.

– C'est un coup très dur, reconnut-il. Je ne comprends pas. Anouar est un homme sûr.

Saddam Hussein, ignorant l'argument, frappa la table du plat de sa main.

– L'opération Intiqam *doit* avoir lieu. C'est la seule chance que nous ayons de faire stopper ces bombardements.

– Tout était organisé, protesta Abu Ibrahim, terrifié par la fureur qui se dégageait des prunelles noires du dictateur.

Ce dernier avait l'habitude de faire exécuter sur-le-champ ceux qui avaient désobéi à ses ordres.

– Tout était *mal* organisé, gronda Saddam Hussein. Maintenant que vas-tu faire?

Abu Ibrahim frotta nerveusement ses deux mains l'une contre l'autre.

– Le problème, expliqua-t-il, c'est que l'homme en charge du dernier échelon n'acceptera pas d'ordres d'un inconnu, même introduit par un message de reconnaissance. Et il y a l'argent. Maintenant qu'Abu Saif et Anouar sont morts, je suis seul à pouvoir le retirer.

Saddam Hussein, le buste très droit, lui adressa un regard glacial.

– A toi, cet homme obéirait, n'est-ce pas?

– Bien sûr, mais...

– Et tu peux retirer cet argent aussi... continua impitoyablement Saddam Hussein. Alors, vas-y!

Abu Ibrahim eut l'impression qu'une main géante lui écrasait la poitrine.

D'une voix mal assurée, il bredouilla :

– Mais c'est impossible! Trop dangereux. Les sionistes vont...

Il se tut, la gorge trop serrée pour parler. Ce que le dictateur lui demandait c'était un suicide. Cela faisait des années qu'il ne s'était pas risqué en Europe. Les services d'écoutes américains et israéliens épiaient tous ses faits et gestes. Ils sauraient qu'il quittait l'Irak. Son front et son torse s'étaient couverts de sueur, ses oreilles bourdonnaient. Il releva la tête et croisa le regard glacial de son vis-à-vis.

– Tu préfères mourir ici?

Les quatre mots étaient partis comme des balles. Abu Ibrahim sut que, dans quelques secondes, la rage de Saddam Hussein serait telle qu'il risquait d'être fusillé incontinent. Quelles que soient les conséquences.

– Je vais essayer, bredouilla Abu Ibrahim. Ça va être très difficile. Peut-être en passant par Téhéran.

– Très bien, approuva Saddam Hussein. Tu es un homme courageux.

Il se leva et étreignit Abu Ibrahim. Ce dernier se dit que cela ressemblait furieusement au « kiss of death »(1) de la Mafia. Ce qu'on exigeait de lui était un voyage sans retour.

(1) Baiser de la mort.

*
**

Anouar Rashimi, allongé sur le canapé du bureau de Robert Alcorn, venait de reprendre connaissance, après une piqûre de solucamphre. Sa respiration restait courte et difficile. Sans ses grosses lunettes de myope, il paraissait vulnérable et perdu. Malko chercha son regard flou et lança :

– Mr. Rashimi, ceci est la dernière alerte. Répondez à mes questions, sinon dans très peu de temps, il sera trop tard pour vous. En quittant la Grèce, où aviez-vous l'intention d'aller après la Yougoslavie?

– A Genève, fit Anouar Rashimi d'une voix faible.

– Pour quoi faire?

– Prendre un chèque certifié de cinq cent mille dollars.

– A l'ordre de qui?

– Sans ordre. Au porteur.

– A qui était-il destiné?

– A celui qui a organisé le stade opérationnel de Intiqam.

Anouar Rashimi répondait comme en état d'hypnose aux questions de Malko. Ce dernier avait l'impression de tirer un fil ténu qui pouvait se briser à chaque instant.

– En quoi consiste Intiqam? interrogea-t-il.

– Faire sauter des voitures piégées, ainsi que des charges explosives dans différents pays d'Europe. En Grande-Bretagne, en France, en Allemagne, et en Belgique.

– Pourquoi en Allemagne et en Belgique?

– En Belgique, à Mons, il y a l'OTAN, et l'Allemagne abrite de nombreuses bases américaines.

– Où doivent exploser ces voitures?

– Je ne sais pas. Seul, celui qui dirige le stade opérationnel connaît les cibles avec précision.

– Où sont ces voitures?

– En Tchécoslovaquie.

– Vous avez un moyen de les identifier, afin qu'on puisse les neutraliser?

– Non. Je ne connais ni leur type ni leurs immatriculations.

– Et quand doit démarrer l'opération Intiqam?

– C'est imminent. Si j'avais pu quitter la Grèce, c'était une question de trois ou quatre jours.

Il ferma les yeux, comme s'il avait dit tout ce qu'il savait. Malko explosa et lança d'une voix menaçante :

– Vous vous moquez de moi, Mr. Rashimi. Tout ce que vous me dites est trop vague. En quoi consiste « l'échelon opérationnel » de Intiqam? C'est cela que nous voulons savoir.

– Je ne connais qu'un homme, celui à qui je devais remettre le chèque.

– Son nom?

– Frantiska Ungelt.

Enfin, un fait précis. Malko échangea un regard soulagé avec Robert Alcorn qui écoutait leur dialogue. Peut-être touchaient-ils enfin au but. Anouar Rashimi avait refermé les yeux. Malko le secoua. Il fallait continuer l'interrogatoire.

CHAPITRE XIII

– Frantiska Ungelt, répéta Malko. Qui est-ce?

– Il était colonel à la STB(1) sous l'ancien régime. En charge des groupes palestiniens. Je l'ai rencontré à plusieurs reprises.

– Que lui est-il arrivé depuis que Vaclav Havel est président de la Tchécoslovaquie?

– Il a dû quitter la STB.

– Quelles activités a-t-il?

– Aucune, officiellement.

– Comment le contactez-vous?

– J'ai un numéro de téléphone, mais ce n'est pas chez lui. Il est très prudent.

– Que savez-vous de son réseau?

– Rien, je ne lui ai pas posé de questions.

– Pourquoi a-t-il accepté de monter une opération terroriste pour votre compte?

– Pour un million de dollars. Le nouveau gouvernement va privatiser le petit commerce au mois de mai. Il a l'intention de s'acheter plusieurs affaires.

– Vous lui avez déjà donné cet argent?

– La moitié. Je devais lui apporter l'autre moitié, comme je vous l'ai dit.

Il s'arrêta, le souffle court. Le teint gris, il luttait

(1) *Statni Bespecnost.* Sécurité d'Etat.

visiblement contre l'évanouissement. Robert Alcorn, paniqué, se pencha sur lui.

– Le numéro de téléphone d'Ungelt?

Anouar Rashimi tendit la main vers sa veste, pendue sur le dossier d'une chaise.

– Donnez-moi mon carnet.

Robert Alcorn fouilla la veste et trouva un vieux carnet gris aux pages couvertes d'adresses et de notes en arabe. Avec des numéros de téléphone dans tous les coins. Il aurait fallu un gros ordinateur et des jours de travail pour en sortir quelque chose de cohérent... Anouar Rashimi prit deux chiffres dans trois pages différentes et avec le stylo de Malko, griffonna un numéro : 530185.

– Je vais voir ce que Langley possède sur ce Frantiska Ungelt, lança Robert Alcorn avant de sortir du bureau.

Malko s'assit en face du Palestinien. Ce dernier avait le teint plombé et le souffle haletant. Il était cinq heures. Le thallium commençait à faire son effet.

Deux infirmiers venaient d'emmener Anouar Rashimi à l'infirmerie de l'ambassade lorsque Robert Alcorn réapparut, très excité :

– J'ai vérifié le nom de Frantiska Ungelt dans notre ordinateur central, annonça le chef de station. C'est bien un colonel de la STB. Il a été expulsé d'Allemagne et d'Italie pour activités subversives. J'ai eu aussi notre chef de station à Prague, John Laramie. Il a vérifié : Frantiska Ungelt a démissionné de la STB il y a six mois. Il est dans la nature. Donc vous allez filer dare-dare sur Prague. Ma secrétaire a vérifié les horaires. Il y a un Air France pour Paris à 20 h 20. Vous avez largement le temps de le prendre. Demain matin, vous rencontrerez à Roissy un agent de la station de Tokyo qui a pris le Boeing 747-400 direct quotidien d'Air France. Il vous apporte des photos de terroristes japonais dangereux encore en liberté. Pour les autorités tchèques. Ensuite, vous sauterez dans le vol Paris-Prague, Air France 2968, à 10 h 10. Vous serez là-bas en fin de matinée.

– Et Chris et Milton?

– Je vais les garder quelques jours. Dès que Rashimi a sa piqûre, je le mets dans la propriété de mon ami Stephanis Dimitsanos. L'ambassadeur refuse de le garder ici une heure de plus. Chris et Milton feront les « baby-sitters ». Quand il sera hors de danger, ce type mérite un débriefing sérieux. Or, les Irakiens et ses copains vont tout faire pour le retrouver et le liquider.

« De toute façon, à Prague, vous êtes en pays ami. Il y a un nouveau gouvernement anti-communiste sous la présidence de Vaclav Havel et ils vont collaborer. La STB a été dissoute, mais vous n'aurez certainement aucun mal à retrouver la trace de Frantiska Ungelt, avec l'aide des autorités locales.

– Les Irakiens savent sûrement maintenant pour Rashimi, objecta Malko. Ils vont tout faire pour le remplacer.

– Très juste, approuva le chef de station de la CIA. Aussi, j'ai chargé la station de Berne d'entrer en contact avec leurs homologues helvétiques. Ceux-ci ont identifié depuis longtemps les comptes bancaires de l'Organisation du 15 Mai. On va essayer de vérifier le débit du premier chèque de 500 000 dollars et voir si un second chèque a été établi. Cela signifierait qu'Anouar Rashimi est remplacé.

« Je vous communiquerai tout cela à Prague. Allez-y, vous avez juste le temps de prendre votre avion. Je vais vous donner mon chauffeur et ma voiture. Mais, avant de partir, buvons à notre succès!

Il alla prendre dans son bar une bouteille de Moët, fit sauter le bouchon et versa le champagne dans deux coupes.

Les deux hommes se serrèrent la main. La course contre la montre était commencée.

– J'arrive, je te conduis à l'aéroport.

Malko n'eut pas le temps de discuter. Christina Balassis avait déjà raccroché. D'un café de la place Kolonaki où elle buvait un verre avec des amis, Christina l'avait appelé au *Grande-Bretagne* pendant qu'il bouclait ses bagages, n'ayant pas réussi à la joindre chez elle. Il laissa son regard errer sur la suite en désordre. Dans un coin, il y avait encore la valise de Lili Panter qu'il allait laisser à Robert Alcorn. Le corps de la jeune femme reposait à la morgue d'Athènes, en attendant d'être renvoyé en Autriche.

Ces trois jours en Grèce avaient passé comme un éclair. Une tornade semée de cadavres.

Il descendit. Au moment où il allait monter dans la Pontiac de Robert Alcorn, Christina Balassis surgit d'un taxi et se précipita vers lui.

Somptueuse comme un fantasme! La bouche en avant, les cheveux dénoués sur les épaules, sans lunettes, le pull rouge épousant les seins lourds, un « caleçon » gris qui semblait peint sur elle, pris dans des cuissardes de daim noir en dépit du soleil éblouissant. Elle avança la tête haute, comme une déesse de l'antiquité, parfaitement consciente de l'effet produit. Malko avait beau l'avoir possédée de toutes les façons, il éprouva une pulsion violente devant ce vivant attentat à la pudeur. Sans se soucier du jeune chauffeur, Christina se colla à lui de toute la longueur de son corps et, bouche contre bouche, souffla dans une haleine parfumée :

– Salaud! Vous partiez sans même me dire au revoir.

– J'ai essayé, plaida Malko, mais ça ne répondait pas. Venez, sinon, je rate mon avion.

Ils prirent place à l'arrière de la Pontiac. A peine la

voiture eut-elle démarré que la main droite de Christina Balassis disparut dans le pantalon d'alpaga de Malko et commença à s'y agiter d'un va-et-vient révélateur. Il croisa dans le rétroviseur le regard affolé du jeune chauffeur, peu accoutumé à ce type de comportement... Christina faisait exactement comme si elle avait été chez elle... Lorsqu'ils commencèrent à descendre l'avenue Vouliagmenis, elle contempla son œuvre quelques instants, l'air satisfait, puis sa bouche remplaça ses mains.

Comme l'avenue Vouliagmenis était défoncée, sa fellation était plus qu'acrobatique... Elle releva la tête, les doigts refermés sur la base du membre, échevelée, superbe.

– Viens!

Le chauffeur faillit en emboutir un camion. Comme Malko, gêné, ne se décidait pas, Christina, agenouillée sur la banquette, tira son caleçon gris sur ses hanches, jusqu'à mi-cuisses. Tenant toujours Malko, elle recula, et, sans hésitation, se laissa tomber sur lui, s'empalant jusqu'à la garde avec une sorte de hoquet. La sensation de ce fourreau brûlant et inondé fit craquer Malko. Il en oublia le chauffeur glué au rétroviseur, les Palestiniens, le mystérieux colonel de la STB. Ses mains se refermèrent sur les seins épanouis à peine protégés par le fin lainage et, d'un coup de rein, il empala encore plus Christina.

Les cahots de la route firent le reste. Il entrait et sortait d'elle au gré du bitume rapiécé, la maintenant contre lui en lui pétrissant les seins. Christina Balassis râlait comme une agonisante et le jeune chauffeur conduisait totalement au bruit. Cela semblait ne devoir jamais finir. Puis la Pontiac s'engagea sur la bretelle menant à l'aéroport.

Il leur restait quelques minutes. Christina s'en aperçut. Se soulevant un peu plus, elle se posa à nouveau sur le membre dressé, cette fois sur l'ouverture de ses reins. Malko sentit une légère résistance et un cahot le fit pénétrer d'un coup jusqu'au fond de la gaine étroite. Les deux mains accrochées au siège avant, Christina Balassis entama son galop final. Malko sentit la sève monter de ses reins, puis explosa, sans pouvoir se retenir. Ils demeurèrent ainsi emboîtés l'un dans l'autre jusqu'au moment où Malko réalisa que la voiture était arrêtée devant l'aérogare.

Le chauffeur était déjà en train de prendre les bagages dans le coffre. Christina se dégagea, remonta son caleçon avant d'écraser sa bouche sur celle de Malko.

– Reviens vite à Athènes, souffla-t-elle, j'ai encore beaucoup de choses à te montrer.

Le chauffeur attendait au garde-à-vous, dehors, le regard légèrement vitreux.

– Bon voyage, Sir, lança-t-il sans regarder Malko.

*
**

Abu Ibrahim présenta son passeport marocain au nom de Hassam Dliti muni d'un visa en règle au policier tchèque de l'aéroport de Prague, avec quand même un serrement de cœur. Il était venu souvent dans ce pays, jadis, chaque fois accueilli par un officier de la STB qui lui facilitait toutes les formalités. Cette fois, il était seul et la STB n'existait plus. Remplacée par un organisme qui lui serait forcément hostile. Depuis son départ de Bagdad par la route jusqu'à Téhéran, l'angoisse ne l'avait pas quitté. Il était tout en haut de la liste du Mossad des gens à abattre.

Le policier lui rendit son passeport et il franchit la douane sans problème. Les contrôles s'étaient considérablement allégés. Traversant le hall, il gagna l'extérieur et aperçut immédiatement la grosse Tatra noire 613, garée à côté des taxis. En dépit de sa ligne dépassée, elle avait encore de l'allure, malgré son moteur à l'arrière qui lui donnait un air pataud. Il vérifia le numéro et ouvrit la portière du passager. Un homme corpulent, au visage rougeaud, avec des yeux très bleus, était au volant. Avec un sourire, il tendit la main à Abu Ibrahim.

– Je n'ai pas beaucoup de temps, dit ce dernier. Le vol pour Francfort part dans deux heures. De là, j'ai une correspondance pour Larnaca.

– Cela suffira, affirma Frantiska Ungelt. Nous n'avons pas tellement de choses à voir.

Il prit l'autoroute menant à Prague, conduisant lentement à cause des radars et écouta attentivement ce que son interlocuteur avait à lui dire. Il était soulagé de le voir, ne sachant exactement ce qui avait motivé les retards. Lorsque Abu Ibrahim lui remit le chèque, il le regarda à peine. Ils étaient entre gens sérieux.

– Quand cela peut-il démarrer? demanda le Palestinien.

– Une semaine au plus. Nous avons eu des problèmes techniques, nous aussi. Je ferai passer une petite annonce dans le *Herald Tribune*, comme convenu.

De nouveau, ils roulaient vers l'aéroport. Prudemment, Abu Ibrahim mit en garde son interlocuteur.

– Il n'est pas impossible que nos adversaires cherchent à vous éliminer, ou du moins, à vous neutraliser.

Frantiska Ungelt lui adressa un sourire confiant plein de méchanceté.

– Ne craignez rien. Je suis encore chez moi dans ce pays. Certaines choses ont changé. Mais pas *toutes*.

Ils se quittèrent devant l'aérogare. Dans le Tupolev qui l'emmenait vers Francfort, Abu Ibrahim se sentit un peu plus tranquille. Il n'était qu'en transit à Francfort et n'aurait pas à montrer ses papiers. A l'aéroport de Prague, il avait envié les touristes qui débarquaient, insouciants, d'un Airbus d'Air France, venant visiter une des plus belles capitales d'Europe. Pourtant, il fut incapable de toucher à son déjeuner.

A peine débarqué dans l'immense aérogare de Francfort, il regarda de quel satellite partait son vol. Il avait largement le temps : une heure et demie. Aussi commença-t-il à flâner au milieu des innombrables boutiques, se sentant protégé par la foule.

Après avoir acheté une Rolex et quelques magazines, il s'engagea sur un des interminables trottoirs roulants menant à l'aérogare C. C'est là que cela se produisit.

Un homme le dépassa, visiblement pressé, un attaché-case à la main. Puis, juste après l'avoir dépassé, il ralentit et se retourna, appuyé au rail mouvant.

Il portait de grosses lunettes d'écaille et avait un visage un peu empâté.

– Abu Ibrahim?

Le Palestinien eut l'impression de recevoir une décharge de cent mille volts. Il voulut reculer, mais se heurta à un gros barbu qui bouchait tout le trottoir roulant... Le premier homme fit basculer légèrement son attaché-case tenu à bout de bras. Abu Ibrahim eut le temps d'apercevoir la petite ouverture sur la tranche par où jaillissait la mort. Les détonations étouffées par un silencieux se perdirent dans le brouhaha de l'aérogare. Abu Ibrahim sentit comme une série de coups de couteau dans la poitrine et le ventre, hoqueta, ses yeux devinrent vitreux et il perdit connaissance. Mort avant d'avoir touché le tapis roulant.

L'homme à l'attaché-case se retourna et continua son chemin. Un peu plus loin, il plaça dans un casier de consigne automatique son attaché-case contenant la mini-Uzi. Il suffisait d'appuyer sur la poignée à un certain endroit pour déclencher la rafale. L'homme se dirigea ensuite vers le départ du vol de Tel Aviv, trente minutes plus tard.

Lorsque la police de l'aéroport découvrit Abu Ibrahim, il avait cessé de vivre depuis dix bonnes minutes.

CHAPITRE XIV

Malko composa le 530185. La première fois, la tonalité n'accrocha pas. La seconde non plus. La troisième, le numéro se mit à sonner. Malko retenait son souffle. Il tendit l'appareil au chef de station de Prague, John Laramie, qui parlait tchèque. Un homme très jeune, à la silhouette dégingandée, qui essayait de se donner l'air sérieux avec des lunettes d'écaille, vêtu d'un impeccable costume croisé bleu. Son bureau était froid et classique, à l'exception d'une superbe et inattendue table basse, une dalle de verre supportée par deux clubs de golf et une énorme balle en perpex.

– Je suis fou de golf, avait expliqué John Laramie. J'ai trouvé ça à Paris chez Claude Dalle et depuis je la trimballe partout.

L'Américain écouta quelques instants, puis raccrocha.

– C'est un répondeur, dit-il, avec le message habituel lu par un homme.

– Il faut savoir où il se trouve, dit Malko. Il y a quatre-vingt-dix-neuf chances sur cent pour que cet ex-colonel de la STB soit prévenu et ne fasse rien pour faciliter le contact.

– J'ai un ou deux informateurs au « Château », répliqua John Laramie. On devrait pouvoir arranger cela.

– C'est tout? interrogea Malko, plutôt déçu.

Depuis son arrivée à Prague par le vol Air France trois heures plus tôt, il allait de déception en déception. Certes, la Tchécoslovaquie n'était plus une Démocratie Populaire, mais il y avait encore beaucoup à faire... L'équipe de gentils intellectuels qui avaient pris le pouvoir avaient bien du mal à se dépêtrer des pesanteurs de l'ancien système, coincés entre le manque d'argent et le pouvoir des ex-apparatchiks de la Nomenklatura.

– Tout est difficile, expliqua le chef de station. Les gens de l'ancien système sont toujours en place et freinent des quatre fers.

– Vous n'avez pas pu obtenir l'adresse du colonel Frantiska Ungelt?

– Non. Seulement l'ancienne où il n'habite plus, depuis deux ans.

– Ni celle correspondant au 530185?

– Ils prétendent que ce numéro n'est pas en service.

– Et vos homologues, ils ne peuvent pas vous aider? Il s'agit d'une affaire d'une extrême gravité.

John Laramie hocha la tête, désolé.

– J'ai été moi-même rendre visite au colonel Prochazka, qui dirige l'Office pour la Protection de la Constitution et de la Démocratie. Ce qui a remplacé la STB. Ils n'ont ni personnel ni moyens et sont tombés des nues. On ne peut pas compter sur eux.

Malko n'en revenait pas.

– Mais enfin, Vaclav Havel n'est pas fou! Il sait bien que ces gens sont ses ennemis. Et que nous sommes ses amis! Je croyais qu'on avait passé au crible tous les agents de la STB.

Le chef de station eut un sourire contraint.

– Les choses ne se sont pas passées tout à fait comme cela. Le nouveau gouvernement a mis en prison le numéro 1 de la STB, Alois Lorenz, et son adjoint, le colonel Vyky Pel. Un certain nombre d'agents de la

« lutte contre les ennemis de l'intérieur » font l'objet d'enquêtes. Seulement, tous les membres de la STB qui ont donné leur démission d'eux-mêmes n'ont fait l'objet d'aucune procédure spéciale. Ils se sont simplement perdus dans la nature.

– Comme le colonel Frantiska Ungelt? compléta Malko.

– Exact. Et comme ces types avaient tout le matériel pour se fabriquer de faux papiers, ceux qui voulaient vraiment disparaître n'ont eu aucun mal à le faire...

Encourageant.

Malko découvrait une réalité bien différente de celle qu'on lui avait fait miroiter à Athènes. Décidément, le téléphone et le fax c'était bien, mais cela ne valait pas le contact humain direct. Or, grâce à l'avion, tous les interlocuteurs étaient à portée de main. Pour retrouver le responsable de l'opération terroriste de Saddam Hussein, il était seul. Avec un temps plus que limité : si les cinq cent mille dollars avaient été versés, cela signifiait que le déclenchement de la vague de terreur était imminent.

Où aller chercher le colonel Frantiska Ungelt?

– Nous avons un « stringer » efficace, dit le chef de station. Dans une petite infrastructure de la Company qui fonctionnait déjà sous le régime communiste. Une agence de presse. Le gars qui s'en occupe s'appelle Rupert Goose. Un Canadien qui travaille avec sa copine, une certaine Loretta. Ces deux-là connaissent tout le monde, moi je ne suis là que depuis six mois... Voilà leur adresse : 26, ulitza Parizska, c'est dans le centre. Je l'ai prévenu. Moi, j'essaie de mon côté, au Château.

Malko reprit son Opel de location garée en face de l'ambassade, dans Trziste, en bordure du vieux quartier de Mala Strana, une splendeur de gothique baroque. Il fallait gagner l'autre rive de la Vltava, la rivière qui séparait Prague en deux. Contrairement aux autres pays émergeant du communisme, il y avait beaucoup de voitures : des Skoda, des Zaztava et même quelques Trabant, rescapées de l'Allemagne de l'Est, pétaradant courageusement au milieu des innombrables trams verdâtres où s'entassait une humanité terne, résignée et mal habillée. A chaque arrêt, des grappes de voyageurs s'agglutinaient patiemment, certains assis à même le trottoir, grignotant une pomme ou un sandwich. Avant d'arriver au pont de Svermuv, Malko repéra une foule de badauds en extase devant une épicerie regorgeant d'oranges, fruit inconnu pendant cinquante-cinq ans de communisme. Et toujours inaccessibles, vu leur prix. La couronne tchèque avait été tellement dévaluée que les billets en circulation ne valaient que le dixième de leur valeur faciale...

Le centre de Prague, pétri de vieux monuments tous plus beaux les uns que les autres, d'immeubles admirables, était un horrible piège à voitures, semé d'innombrables sens uniques, d'interdiction de stationner et de zones piétonnes qui vous forçaient à des détours insensés.

Ecœuré, Malko abandonna sa voiture en face de l'*Intercontinental*, bloc moderne au bord de la rivière, et partit à pied. Ulitza Parizska était bordée de vieux immeubles 1900 noirâtres, pas entretenus depuis près d'un demi-siècle, d'une saleté repoussante à l'intérieur, avec des fils électriques traînant partout. Il monta à pied trois étages poussiéreux, au numéro 26, l'ascenseur étant en panne. Un modeste carton au fond d'un couloir sombre indiquait : *Eastern Europ Press Agency*. La porte était entrouverte. Malko aperçut une machine de traitement de texte allumée.

Trois téléphones sonnaient en même temps.

Il se glissa dans l'entrebâillement : la pièce était encombrée de meubles, de dossiers à même le sol, les murs disparaissaient sous des affiches, un portable Akai était posé en équilibre sur une pile de livres. Allongée sur un vieux divan sans couleur, une blonde avec des dents de lapin, des cheveux filasse et une petite paire de seins extraordinaires serrés dans une robe bleue qui avait tellement remonté sur ses cuisses qu'on voyait sa culotte...

Elle était en train de mâcher un énorme sandwich et jeta un coup d'œil indifférent à Malko.

– Qu'est-ce que vous voulez?

– Je cherche Rupert, dit-il.

– Il va revenir. Attendez-le. Bonjour, je suis Loretta.

Elle avait un fort accent canadien. Son sandwich terminé, elle se leva et lui tendit la main. Debout, sa poitrine était encore plus impressionnante, contrastant avec un corps androgyne et de petites fesses cambrées. En dépit de son physique bizarre, il irradiait d'elle une aura de sexualité.

Les téléphones continuaient à sonner, assourdissants.

– Vous ne répondez pas? demanda Malko.

Loretta secoua ses cheveux filasse.

– Non, sinon, je ne pourrais jamais bouffer... Rupert est plus malin, il va dans une *kavarna*(1)... Tiens, le voilà.

Un homme jeune aux cheveux noirs et frisés, de petite taille, pénétra dans la pièce et jeta un regard inquisiteur à Malko.

– Salut! fit-il. Qu'est-ce que je peux pour vous?

– Nous avons un ami commun, je crois, avança Malko.

– Ah bon. Qui?

– John Laramie.

Le visage de Rupert Goose s'éclaira. Il prit une brassée de vieux journaux tchèques posés sur une chaise et les jeta par terre.

– Asseyez-vous. Je vous attendais, la station m'avait

(1) Taverne.

prévenu. Je vous présente Loretta qui travaille aussi pour la Company.

Loretta découvrit ses dents de lapin dans un sourire gourmand. Malgré son air nunuche, elle ressemblait à une fieffée salope. Rupert Goose cligna de l'œil en direction de Malko.

– Avec Loretta, toutes les portes s'ouvrent! Ici, après un demi-siècle de communisme, ils ne sont pas habitués à ce que les filles s'habillent comme ça. Et puis les Tchèques n'ont pas des poitrines comme elle. Question de nourriture, peut-être. Alors, que puis-je faire pour vous?

– Beaucoup, dit Malko.

Le jeune stringer l'écouta, l'air soucieux.

– Je vois que le temps presse... John Laramie n'arrivera à rien par le Château. Votre gars a peut-être monté une agentura, comme certains de ses copains.

– C'est-à-dire?

– Une agence de détectives privés. Les futurs milliardaires tchèques en raffolent. Et le KGB aussi...

– Le KGB?

– Oui. Les Popovs ont exercé des pressions discrètes pour qu'on ne fasse pas trop de misères à leurs copains de la STB. Ils voulaient bien du Printemps de Prague, mais sans giboulées. Les Tchèques ont compris le message. Le KGB est encore vachement puissant ici, avec ses réseaux intacts et de quoi faire chanter beaucoup de monde. De temps en temps, un dossier sort, pour ranimer les bonnes volontés.

« Maintenant, une question. Votre colonel, on va sûrement le retrouver. Et ensuite?

– Bonne question, reconnut Malko. Le gouvernement tchèque acceptera-t-il d'agir?

Le Canadien eut un sourire ironique.

– Sauf si vous avez des preuves aveuglantes...

– La station ne peut pas me venir en aide?

– Profil bas, fit Rupert Goose. John Laramie arrive

tout juste. Il n'y a pas de Service Action et ils ne veulent pas d'embrouilles avec les Tchèques.

– Mais enfin, protesta Malko, j'agis sous le couvert d'un « finding » du Président. Il s'agit de démonter une opération terroriste.

– John Laramie n'a pas les moyens de vous aider. Mais si vous avez besoin d'un coup de main, j'ai un ou deux gars...

– Des Tchèques?

– Non, des Soviétiques. Il y a eu pas mal de déserteurs. Pas pour motifs idéologiques. Pour le fric, la drogue, etc. Les deux que je connais avaient fait un hold-up avec un char pour passer à l'Ouest. Ils ont réussi à piquer un paquet de couronnes tchèques et se sont aperçus qu'ils pouvaient tout juste se torcher le cul avec. A l'époque, le 17e département de la STB les traquait à mort. Nous en avons planqué deux et on a sauvé leur peau, parce que certains de leurs copains ont été fusillés. Ils sont toujours au chaud et on peut les utiliser pour un coup dur.

– Ils sont sûrs?

– Ils n'ont ni papiers ni argent, précisa suavement Rupert Goose. Ils attendent que le dernier Soviétique ait quitté la Tchécoslovaquie, en juin prochain, pour reparaître au grand jour.

– Cela peut servir, admit Malko. Mais d'abord, il faut retrouver ce colonel Ungelt.

Rupert Goose se tourna vers Loretta.

– Tu as toujours le contact avec le gars à l'Intérieur?

– Oui.

– Appelle-le. Dis-lui qu'on doit le voir d'urgence et qu'il y a du gras pour lui.

Loretta s'installa au téléphone et se lança dans une interminable conversation en tchèque. Lorsqu'elle raccrocha, elle découvrit ses dents de lapin en un large sourire.

– Il vous attend à une heure au ministère de l'Intérieur.

– Il a planqué le listing de tous les anciens de la STB qui ont donné leur démission, expliqua Rupert Goose. A propos, vous avez le numéro de ce répondeur?

Malko le lui communiqua.

– J'ai un copain au bureau de poste central, ulitza Jindrisska qui pourra trouver l'adresse correspondante. Et il a toujours besoin d'argent.

Loretta avait glissé sur son épaule une grande besace.

– On a juste le temps, dit-elle à Malko.

Le ministère de l'Intérieur occupait un bloc de cent mètres de long, moitié moderne, moitié ancien, au coin d'ulitza Nad Stolou, où aboutissait le tunnel menant au pont Svermuv et de l'ex-avenue Obrancu Miru, rebaptisée depuis le nouveau régime Milady Morakove, du nom d'une résistante fusillée par les communistes en 1948. Malko gara la voiture en face du bloc de ciment gris et suivit Loretta. Sa robe lui arrivait au ras des fesses et la sentinelle la suivit des yeux, éberluée.

Ils errèrent dans des couloirs nus et sinistres avant de trouver le bon corps de bâtiment. Cela faisait une drôle d'impression à Malko de se retrouver là...

Au quatrième, Loretta frappa à la porte d'un bureau qui donnait sur un grand terrain de sport. Un homme gris comme les murs fumait un cigarillo, l'air chafouin derrière un modeste bureau. Il se leva avec un sourire servile, les yeux tellement rivés à la poitrine de la Canadienne qu'il faillit rater la main de Malko. La conversation s'engagea en tchèque. Au bout d'un moment, la jeune femme se tourna vers Malko.

– Il a la liste, mais il faut la consulter ici. Vous avez le nom exact?

– Oui. Frantiska Ungelt.

– Il veut cent dollars.

Le billet changea de main et le fonctionnaire exhuma une liste dactylographiée. Une centaine de noms. Malko trouva ce qu'il cherchait à la page 4. Frantiska Ungelt, Raisova 12. Suivi d'une date : 23 août 1990.

Le Tchèque lisait par-dessus son épaule. Il fit un commentaire aussitôt traduit par Loretta.

– C'est la date de son départ volontaire. Il travaillait au cinquième étage au contrôle des étrangers.

– C'est-à-dire?

– Il était en rapport avec certains groupes clandestins qui venaient s'entraîner dans le pays.

Confirmation des dires d'Anouar Rashimi.

– On peut retrouver la trace des gens avec qui il était en contact?

Traduction et réponse désolée du Tchèque.

– Tous les documents ont disparu. Il paraît qu'ils ont été brûlés.

– Vous le connaissiez? demanda Malko.

– Un peu, fut la réponse.

– Comment est-il?

– Costaud, les yeux bleus, il aime bien boire.

– Marié?

– Je ne sais pas.

Il avait visiblement envie de mettre fin à la conversation... Loretta et Malko le quittèrent. La Canadienne était excitée comme une puce.

– On va voir tout de suite?

– Bien sûr, dit Malko. Où est-ce?

– Près de l'ambassade chinoise, dans un quartier résidentiel où demeuraient beaucoup d'apparatchiks.

Ils reprirent la voiture remontant vers le quartier de Bubenec, non loin du château de Prague. Ulitza Raisova était une petite rue bordée de vieux immeubles en piteux état. Une Skoda orange pourrissait sur cales, en face, épave du communisme. Malko et Loretta pénétrèrent dans le couloir où se trouvaient des dizaines de boîtes aux lettres.

Deux minutes plus tard, il y avait une certitude : le

nom de Ungelt ne figurait nulle part. Loretta, déçue, proposa :

– On va demander!

Ils durent monter au quatrième pour trouver âme qui vive. Une vieille femme leur ouvrit et Loretta l'interrogea. Elle secoua la tête. Personne de ce nom dans l'immeuble. C'est au sixième qu'ils tombèrent sur un moustachu qui les renseigna.

– Bien sûr, c'est au fond du couloir, là à droite. Venez, je vais vous montrer.

Il était si heureux de voir des étrangers qu'il les accompagna. Malko échangea un regard avec Loretta. Comme entrée en fanfare, c'était réussi... Et il n'était même pas armé.

Le Tchèque, complaisant jusqu'au bout, appuya sur la sonnette à leur place.

Une femme rogomme entrouvrit la porte avec méfiance. Ils aperçurent du papier jaunâtre, un intérieur petit-bourgeois. Loretta offrit son sourire le plus enjôleur.

– Le colonel Ungelt?

– Il n'habite plus ici, répondit la femme. Depuis six mois déjà.

– Vous savez où il habite?

– Non.

Plac! La porte claqua si fort que Malko eut juste le temps de retirer ses doigts... Déçus, ils redescendirent. La piste s'arrêtait là. Malko s'arrêta dans une cabine téléphonique, y glissa une pièce de vingt couronnes et composa le numéro d'Ungelt. Le répondeur toujours!

Malko mourait de faim.

– Vous voulez venir déjeuner à l'hôtel? proposa-t-il à Loretta.

Ils remontèrent jusqu'au *Praha* où Malko s'était installé.

Sorte de paquebot en demi-cercle posé sur la colline de Dejvice, en surplomb de l'avenue Leninova, non encore débaptisée. L'ancien lieu de repos des apparatchiks. Depuis la libération, trop loin du centre et trop cher, il était délaissé par les touristes, *Titanic* figé dans une dérive immobile. Un personnel en smoking, languissant et désabusé, faisait semblant de s'occuper des rares clients dans une ambiance de crypte funéraire. Seul agrément : la vue imprenable sur la ville et les immenses terrasses dominant un parc.

Malko et Loretta traversèrent le hall du *Praha*, majestueux avec ses énormes lustres en cristal, bardé de boiseries et rigoureusement désert. Comme la salle à manger au niveau inférieur où un maître d'hôtel empressé les installa avec tout le respect dû aux porteurs de dollars.

Triste menu : saucisson de Hongrie, carpe trop grasse et ice-cream aux couleurs inquiétantes. Loretta s'attaqua avec succès à la bouteille de vin à 14°, ce qui amena des couleurs à ses joues.

– J'ai une autre idée pour retrouver le colonel, suggéra-t-elle. Un copain journaliste. Il a un peu travaillé comme informateur pour la STB... On pourra le voir demain.

Demain... Malko avait l'impression d'avoir dans la tête une machine infernale qui faisait « tic-tac ». Chaque minute comptait. C'était peut-être déjà trop tard pour enrayer la campagne de terreur de Saddam Hussein.

Au moment où il traversait le hall du *Praha*, l'employée de la réception brandit un message dans sa direction. *Rappeler l'ambassade américaine d'urgence*. Ce qu'il fit.

John Laramie était à son bureau.

– J'ai reçu un télex d'Athènes, annonça-t-il. Les Services suisses ont appris qu'un chèque de 500 000 dollars a bien été débité hier d'un des comptes utilisés par l'Organisation du 15 Mai. Sans qu'on en connaisse le destinataire.

– Merci, dit Malko.

Le compte à rebours s'accélérait. Comme il l'avait

craint, les Irakiens avaient mis en place une structure de secours. Le débit du chèque signifiait que le déclenchement de l'opération Intiqam était imminent. Plus que jamais, il devait retrouver le colonel Frantiska Ungelt.

Il sauta dans sa voiture. Le tunnel était encombré et ils durent s'y traîner vingt-cinq minutes. Loretta, assommée par le vin, somnolait, la bouche ouverte, la robe au ras du ventre. Par miracle, Malko trouva une place dans ulitza Parizska.

Rupert Goose tapait sur une machine de traitement de texte. Il s'interrompit en voyant Malko et brandit un bout de papier.

– Ça y est, j'ai le nom de l'abonné et l'adresse de votre répondeur! Je sais pourquoi John Laramie n'a rien trouvé. Le numéro fait partie d'une série réservée à la STB qui n'était pas *officiellement* répertoriée.

Malko avait l'impression de respirer de l'oxygène pur. Enfin il avait une piste.

CHAPITRE XV

– Voilà, annonça Rupert Goose. Beata Milecki, ulitza Blanicka, 12. C'est derrière le Musée, un quartier anciennement bourgeois. Vous voulez y aller?

Malko s'assit sur une pile de journaux pour réfléchir. Il se trouvait confronté à une situation plus que délicate. Que faire s'il se trouvait nez à nez avec le colonel Ungelt? Négocier? Le liquider séance tenante sans rien savoir de l'opération en cours? Le menacer? De toute façon, il fallait aller voir. Rupert Goose l'observait. Il ouvrit un tiroir et en sortit un Makarov 9 mm de l'Armée rouge.

– Tenez, dit-il, ça peut toujours servir. A tout hasard, je vais convoquer mes Popovs pour ce soir. En attendant, allez-y sur la pointe des pieds.

Après avoir glissé le pistolet dans sa ceinture, Malko se leva, l'estomac contracté.

– Vous savez où je suis, dit-il. En cas de problème, prévenez le chef de station.

Il lui fallut un temps fou pour parvenir à la rue Blanicka, à l'est de la grande avenue Vitezneho Unora qui filait du nord au sud de Prague, parallèlement à la rivière, enserrant les vieux quartiers. Le 12 ressemblait à ses voisins : immeuble noirâtre mal entretenu. Malko examina les boîtes aux lettres et vit une élégante carte de visite au nom de Beata Milecki. Troisième étage.

Sur le palier du troisième, la même carte était épinglée à une porte. Il sonna, sans obtenir de réponse. Et sans plus de succès à la porte voisine. Il recommençait lorsqu'une voix chantante demanda derrière lui :

– C'est moi que vous cherchez?

Il se retourna pour se trouver face à face avec une blonde sculpturale aux yeux verts, moulée dans un tailleur de cuir de même couleur qui ne venait sûrement pas du Goum. Pas plus que les escarpins assortis ni le sac en croco. Ses yeux souriaient, mais on voyait que ce n'était pas une tendre.

– Vous êtes Beata Milecki?

– Oui, c'est moi, dit-elle. Comment me connaissez-vous?

– Je ne vous connais pas vraiment, corrigea Malko, j'ai seulement votre téléphone.

– Ah bon, lequel?

– 530185.

– Ce n'est pas le mien.

Tout en parlant, elle avait ouvert la porte, l'invitant à entrer. Il découvrit un petit appartement très coquet avec une épaisse moquette blanche sur laquelle était posée une superbe table basse, un tigre en bronze supportant une dalle de verre, création de Claude Dalle, encadrée de deux canapés en soie du même décorateur.

Cela ne sentait pas la misère... Beata Milecki s'assit les jambes croisées, l'air moqueur.

– Qui êtes-vous, d'abord?

– Malko Linge.

Elle alluma une cigarette.

– Alors Mr. Linge, que puis-je faire pour vous?

C'était le moment de se jeter à l'eau.

– Quelqu'un m'avait laissé un numéro pour le joindre ici, expliqua-t-il. J'ai appelé et je suis toujours tombé sur un répondeur. J'ai fini par venir.

– Vous êtes débrouillard, apprécia Beata. Qui est « quelqu'un »?

– Frantiska Ungelt.

– Frantiska Ungelt!

Son regard était de plus en plus moqueur. Elle se leva, prit familièrement Malko par la main, l'entraînant vers la petite entrée. Elle y ouvrit une placard et pointa le doigt vers une boîte grise.

– Voilà votre numéro. Ce répondeur est là depuis six mois. Il peut être interrogé à distance avec un code. C'est Frantiska qui l'a mis là avant de partir.

– Vous le connaissez?

– Bien sûr, nous avons vécu ensemble cinq ans.

– Vous savez où il se trouve?

– Je n'en ai pas la moindre idée. Je pense qu'il cherche à refaire sa vie, ce salaud.

Elle avait dit cela sans élever la voix, avant de se rasseoir sur le canapé.

– Je ne veux pas être indiscret, fit Malko, mais pourquoi gardez-vous ce répondeur chez vous?

– Je n'ai pas envie de prendre un coup de couteau. Frantiska peut être dangereux. Alors, comme cela ne me gêne pas...

– Je dois le trouver, dit Malko. C'est extrêmement important. Vous ne pouvez pas m'aider?

Beata Milecki le contempla longuement, comme pour le jauger. Finalement, elle dit avec un soupir :

– Il a peut-être gardé un contact avec une pute qui lui servait d'informatrice. Une certaine Zitna. Elle travaille d'habitude à l'hôtel *Yalta*, place Venceslas.

Elle se leva. En raccompagnant Malko, elle dit d'un ton léger :

– Si vous souhaitez me téléphoner, voici mon numéro : 675345. Bonne chance.

La place Venceslas, qui en réalité était plutôt une large avenue en pente de près d'un kilomètre de long, dominée par l'immeuble majestueux du Musée national, grouillait de monde.

Presque entièrement piétonnière, se terminant en cul-de-sac, elle attirait les touristes comme des mouches avec ses étonnants immeubles gothiques et baroques de toutes les couleurs. Malko passa devant les gerbes de fleurs et les bougies brûlant en permanence pour rappeler le sacrifice de l'étudiant Jan Pallach qui s'était immolé par le feu le 16 janvier 1969, pour protester contre l'écrasement du Printemps de Prague. Il se fraya ensuite un chemin à travers la foule des touristes et des Tchèques vêtus comme des loqueteux. Filant vers le trottoir de droite.

La terrasse vitrée de l'hôtel *Yalta* était bondée.

Au milieu des touristes, il repéra tout de suite un certain nombre de femmes toutes du même type. Blondes platinées, les cheveux courts, très maquillées, des yeux bleus, des bas noirs et l'air absent. Comme les hirondelles ne font pas le printemps, les premières putes ne faisaient pas la démocratie. Celles-là dévisageaient ostensiblement les touristes, bêtes à dollars. Malko pénétra dans le café et en repéra encore des grappes un peu partout. Son arrivée déclencha un festival de sourires tous plus lubriques les uns que les autres. Une des fille décroisa les jambes lentement à seule fin qu'il puisse se rendre compte qu'elle portait des bas... La civilisation occidentale faisait reculer l'hydre totalitaire...

Il s'approcha d'elle et lui demanda en allemand s'il pouvait s'asseoir. En quatre secondes, un barman jaillit avec deux coupes de champagne. Ils avaient vite appris.

Déjà, la fille lui proposait un lit confortable pour pas cher et quelques spécialités slovènes... Il éluda en précisant :

– J'ai l'habitude de rencontrer Zitna. Elle n'est pas là?

L'autre se referma aussitôt comme une huître, le regard sombre. Pour la calmer, Malko ajouta aussitôt :

– Nous pourrions arranger quelque chose tous les trois...

Rassérénée, la fille retrouva instantanément la mémoire.

– Zitna, elle est partie avec un client. Elle ne va pas revenir. Dès qu'elle a un peu d'argent, elle file au Casino en dessous, claquer son fric. C'est une conne...

Malko s'excusa et alla se renseigner : le Casino n'était pas encore ouvert. Il erra près de deux heures dans la vieille ville, au milieu d'un décor de rêve, se demandant s'il allait retrouver Zitna. Et surtout, comment l'aborder et lui tirer les vers du nez. Penser que l'échec d'une opération terroriste de grande envergure dépendait du bon vouloir d'une pute tchèque!

Lorsqu'il revint au *Yalta*, la terrasse était vide. Des groupes faisaient la queue devant des kiosques servant des sandwiches. Malko aperçut un néon annonçant « casino ».

Il descendit l'escalier et déboucha dans un sous-sol encombré de machines à sous, éclairé a giorno.

Pas un chat!

C'était carrément sinistre.

Il allait remonter lorsqu'il entendit le bruit d'un jackpot qui dégringolait. Il avança un peu et tomba sur l'unique cliente du « casino ». Une blonde juchée sur un tabouret, les cheveux cascadant sur les épaules, moulée agressivement dans une robe rouge très courte. Les inévitables bas noirs, des jambes bien galbées terminées par des escarpins rehaussés de strass qui brillaient comme le Koh-i-Noor.

Rageusement, elle tirait sur le bras de la machine, enfournant mécaniquement des pièces. Il fit le tour, découvrant son visage triangulaire aux traits épais avec d'étonnants yeux bleus...

Il alla à la caisse, changea cent dollars et revint les poches pleines de pièces pour s'installer à la machine voisine de la fille.

Un quart d'heure plus tard, elle tapa rageusement sur

sa machine et se laissa glisser de son tabouret. Coup de chance, Malko venait de toucher une trentaine de pièces. Avec un sourire, il les lui tendit. Elle lui adressa un regard d'abord étonné, puis franchement provocant, redressant le torse pour mettre ses seins en avant.

– *Dékuji!* (1) dit-elle.

Aussi sec, elle se remit à jouer...

Un peu plus tard, ils finirent leurs pièces presque en même temps et se retrouvèrent face à face.

– Il n'y a pas d'endroit plus gai? demanda Malko en allemand.

– Vous voulez dire un autre casino?

– Non, pas nécessairement, un endroit où on peut manger avec de la musique.

– *Uhpavuka*, s'il y a de la place.

Elle enfila un imperméable vert d'eau et monta l'escalier devant lui, en profitant pour onduler de sa croupe pleine. La place Venceslas s'était vidée. Ils marchèrent un peu dans les petites rues, jusqu'à la rue Celetna. Des gens s'entassaient dans l'entrée, en attente d'une table.

Zitna se tourna vers Malko.

– Vous avez cinq dollars?

Elle les donna à un garçon qui les installa tout de suite.

Ils commandèrent du vin et du jambon de Prague.

– Comment vous appelez-vous? demanda-t-elle?

– Malko Linge. Et vous?

– Zitna.

Les hauts talons de Zitna résonnaient sur les pavés de la place Staromestské, troublant le silence de la nuit. Après une bouteille de Tokay, elle s'était un peu dégelée. Malko savait qu'elle venait de Slovénie et travaillait à Prague depuis trois ans.

(1) Merci.

Il regarda les vieux immeubles gothiques autour de lui : Prague était vraiment une ville inouïe de beauté.

Ils durent marcher jusqu'au pont Charles, beau à couper le souffle avec les trente statues ornant ses parapets pour trouver un taxi.

Dans le véhicule, Zitna se serra contre Malko, glissa une langue chaude dans son oreille.

– Cinquante dollars pour ta belle Zitna?

– Quarante, corrigea Malko.

Elle ne discuta pas et ils échouèrent dans une petite rue près du jardin botanique. Zitna l'entraîna dans un immeuble vieillot avec une immense cage d'escalier et ils se retrouvèrent dans un studio pas trop mal meublé avec des posters de motards aux murs. Un abat-jour orange diffusait une lueur trouble.

A peine eut-elle touché ses quarante dollars que Zitna fit passer sa robe rouge par-dessus sa tête, uniquement vêtue de ses bas et d'un slip.

– Tu sais que je baise très bien, susurra-t-elle.

Le problème, c'est que Malko n'avait aucune envie de consommer... De plus, il se voyait mal posant sur la table de nuit le Makarov coincé dans sa ceinture, à hauteur de sa colonne vertébrale. Seulement, Zitna représentait la seule façon de remonter sur le colonel Ungelt. Décidant de limiter les dégâts, il s'assit sur le lit et dit d'un ton entendu :

– Tu as une belle bouche.

Zitna, flattée, lui expédia un sourire salace.

– Tu veux la goûter?

– Oui.

En un clin d'œil, elle était au travail. Agenouillée sur le lit, elle l'aspira d'une seule traite jusqu'à la racine avec une technique digne de « Deep Throat ». Elle le caressait à toute vitesse avec des coups de langue rapides, agaçants. Puis, le sortant de sa bouche, elle le coinça entre ses seins, et commença à le faire coulisser entre les deux masses tièdes, baissant le visage pour le saisir à chaque passage entre ses lèvres...

Elle soufflait comme un phoque, et Malko sentit qu'il n'était pas loin de l'explosion. Zitna s'en rendit compte aussi et se recula.

– Ne t'arrête pas ! fit Malko.

– Ah bon.

Elle reprit son manège avec encore plus d'entrain jusqu'à ce qu'il sente le sperme monter de ses reins. La fin du parcours fut sans faute. Zitna abaissa la tête et recueillit tout avec complaisance. Elle lui adressa un clin d'œil complice.

– Salaud, tu aimes te faire sucer ! Mais tu peux me baiser...

– On va se reposer un peu, dit Malko.

Avant tout, il fallait prolonger le contact.

Consciencieuse, Zitna avait recommencé à le caresser, mais il avait vraiment la tête ailleurs... Vexée, elle demanda :

– Tu n'as pas envie?

– On peut se revoir, je suis un peu crevé, dit Malko.

– Je travaille tous les jours au *Yalta*, précisa-t-elle.

– Tu gagnes beaucoup d'argent?

– Plus que comme secrétaire à soixante mille couronnes.

– Où ça?

– Au ministère de l'Intérieur. J'avais un oncle au Parti, il m'y avait fait entrer. Et puis, un jour, un mec est entré dans mon bureau à six heures du soir. Un Arabe. Mon patron n'était pas là. J'ai vu qu'il avait vachement envie de moi, il n'arrêtait pas de me reluquer. Surtout que j'avais une poitrine encore plus grosse que maintenant; moi, il me plaisait et j'étais prête à me faire sauter. Tout à coup, il s'est penché vers moi et m'a montré sa braguette qui était vachement gonflée... « Si tu la dégonfles, il m'a soufflé, je te donne dix dollars. » On s'est enfermés dans le bureau de mon patron et j'ai mis le voyant rouge. Il a joui en vingt secondes et j'ai eu mes dix dollars.

« Ça lui a tellement plu qu'il m'a demandé de l'accompagner jusqu'à l'aéroport. Le lendemain, il est venu me chercher avec une Tatra et un chauffeur et je l'ai sucé pratiquement jusqu'au moment où il est monté dans l'avion. Pour cinquante dollars. C'est en revenant que le chauffeur m'a demandé où je travaillais... Et ça m'a donné des idées...

« A la fin du mois, j'ai donné ma démission et je suis devenue un élément " asocial ", comme ils disaient en ce temps-là. Enfin, pas vraiment.

– Pourquoi?

– Oh, les gens de la STB n'ont pas mis longtemps à me repérer. Un soir, deux types m'ont embarquée. Ils m'ont emmenée dans un terrain vague, près de la rivière et m'ont battue. Méchamment. J'ai cru qu'ils allaient me tuer. Après, ils m'ont dit qu'ils étaient des flics et qu'ils travaillaient pour le quatorzième département.

– C'est quoi?

– Oh, les types qui s'occupaient de liaisons avec des Arabes. Ils avaient besoin de filles comme moi. Leur patron m'a proposé un deal. Je continuais à travailler sans problème, mais quand il avait besoin de moi, j'obéissais...

– Pour quoi faire?

– Il m'a donné un numéro. On m'appelait chez moi et je rappelais. Là, on me désignait ma « cible ». Un visiteur étranger. J'avais plus qu'à le draguer. Quelquefois, je jouais les femmes d'apparatchik et ça les excitait encore plus. Je devais recueillir tous les renseignements possibles. Et mon traitant me laissait la moitié des dollars.

– Tu travailles toujours pour la STB? demanda Malko.

Zitna éclata de rire.

– La STB n'existe plus, ils l'ont dissoute. Bien sûr, les types sont toujours là, enfin la plupart...

– Et ton « traitant », qu'est-ce qu'il est devenu?

Elle lissa ses cheveux blonds dans un geste très sensuel.

– Il s'est privatisé, dit-elle dans un grand éclat de rire.

– C'est-à-dire?

– Il a quitté la STB et a monté une *agentura.*

Malko avait les oreilles grandes ouvertes.

– Ça m'intéresse, dit-il, je suis ici pour voir ce qu'il y a d'intéressant à privatiser. Tu crois que ton ex-patron pourrait me communiquer des renseignements confidentiels?

Elle s'étira, très chatte.

– Sûrement.

– Tu peux me donner ses coordonnées? enchaîna-t-il sur le ton le plus naturel possible.

Zitna eut un imperceptible raidissement.

– Ecoute, je sais pas s'il a le temps. Et puis, il est toujours vachement prudent. Où tu loges à Prague?

– Au *Praha.*

Elle se leva et lui tendit un bloc et un crayon.

– Mets ton nom et le numéro de ta chambre. Je vais lui dire de te contacter. Mais faudra pas m'oublier...

Voilà pourquoi elle était méfiante. Elle accompagna Malko jusqu'à la porte.

– C'est urgent, dit Malko.

– Moi aussi, je peux t'être utile, dit-elle. Je vais te donner mon téléphone.

Elle lui griffonna un numéro et il se retrouva dans la rue sombre. Si l'ami de Zitna était bien le colonel Ungelt, cette soirée risquait d'avoir des prolongements intéressants.

CHAPITRE XVI

Le téléphone rouge placé hors de portée de Malko se mit à grelotter et il dut sauter du lit pour y répondre. La brume matinale enveloppait Prague d'un halo et le soleil n'avait pas encore percé.

– Mr. Linge? C'est Zitna.

Elle avait une voix de jeune fille, au téléphone. Malko jubilait intérieurement.

– Vous avez contacté votre ami?

– Oui, oui. Il est d'accord pour vous voir. Ce soir vers sept heures. Dans Vaclavske namesti(1). Cent mètres plus bas que le *Yalta*, juste après l'*Europa Hotel*, il y a une porte cochère qui dessert trois cours d'immeuble. Nous vous attendrons là.

– Vous ne voulez pas venir ici?

– Non, il veut de la discrétion.

La Tchèque raccrocha sans lui laisser le temps de poser des questions supplémentaires. Malko était certain qu'elle avait transmis son message. A partir de là, il y avait plusieurs hypothèses. Soit l'ami de Zitna n'était pas l'homme recherché par Malko. Possible. Soit, c'était lui. Dans ce cas, il pouvait venir aux nouvelles, ignorant qui il était. Ou alors, il lui tendait un piège.

Dans les trois cas, il fallait y aller.

(1) Place Venceslas.

Mais le temps pressait trop pour mettre tous ses œufs dans le même panier. Il reprit le téléphone et fit le numéro de Loretta.

– J'allais vous appeler, fit la jeune Canadienne. J'ai joint mon ami journaliste, Tomase. Il peut nous voir ce matin. Retrouvons-nous directement rue Petrouchka, au numéro 87, dans une heure.

Malko prit quand même le temps de contacter John Laramie. Le chef de station de la CIA semblait nerveux.

– Je n'ai pas de bonnes nouvelles, annonça-t-il. D'abord un nouveau message d'Athènes. Le prisonnier est mort.

Apparemment l'antidote contre le thallium n'avait pas été assez testé. Anouar Rashimi ne dévoilerait pas d'autres secrets...

– Et ensuite?

– Langley me harcèle de messages au sujet de Intiqam. J'ai d'ailleurs pris rendez-vous au Château pour tout à l'heure, à ce sujet. J'espère qu'ils vont se bouger.

– *Moi*, je me bouge, précisa suavement Malko. Je pense avoir du nouveau très vite. J'ai retrouvé la piste du colonel Ungelt.

– Voici Tomase, annonça Loretta. Un des hommes qui connaissent le mieux la STB.

Tomase était un garçon joufflu avec des cheveux noirs abondants et le regard un peu allumé. Malko l'avait retrouvé dans une sorte de cantine en compagnie de Loretta, encore plus provocante que la veille avec un T-shirt dont elle avait rectifié le décolleté à la main pour qu'il plonge encore plus, des jeans quasiment peints sur elle et une énorme ceinture par laquelle on avait envie de l'attraper.

Tomase étreignit la main de Malko dans les deux siennes.

– Effectivement, je le connais bien ! confirma-t-il. J'ai été arrêté vingt-sept fois depuis 1977. Je...

Il s'interrompit : ses dents s'étaient mises à claquer comme un automate détraqué avec un bruit effroyable. Malko se dit qu'elles allaient toutes tomber sur la table... Cela s'arrêta aussi brusquement que cela avait commencé et le journaliste continua avec un sourire d'excuses.

– Ce n'est pas ma faute ! Ils m'ont frappé très fort une fois et cela a bloqué un nerf. De temps en temps, cela me prend... Que puis-je pour vous ?

Malko lui expliqua les difficultés qu'il avait à retrouver la trace du colonel Frantiska Ungelt.

– Cela ne m'étonne pas, dit Tomase. La STB est toujours très puissante... Ses membres ont eu tout le temps pour organiser leur passage à la vie civile. La plupart ont maintenant des fausses identités très difficiles à percer. Les plus compromis ont pris la nationalité soviétique et on ne peut rien contre eux. Celui que vous cherchez a dû se mettre à son compte. Pour agir ainsi, il doit être protégé. Par le KGB ou d'autres gens.

– Loretta m'a emmené voir un fonctionnaire, à l'Intérieur, fit Malko. Il avait une liste...

Tomase eut un sourire indulgent.

– C'est un escroc. Il s'agit de vieilles listes sans intérêt. Lui aussi fait partie de l'ancien système.

Loretta piqua du nez dans son café innommable.

– Ils étaient près de deux mille vous savez, à la STB, rien qu'au ministère de l'Intérieur, continua Tomase. Que voulez-vous ? Simplement savoir où il se trouve ? Ou tenter une action contre lui ?

– D'abord le localiser, dit Malko. Vite.

Tomase regarda sa montre.

– On peut aller voir tout de suite mon meilleur informateur. Il a travaillé quarante ans avec la STB. C'est lui qui possède le meilleur fichier.

Ils regagnèrent la voiture de Malko, laissant Loretta retourner à ses affaires. Le claquement de dents de

Tomase était dérangeant. Il guida Malko dans le dédale de la vieille ville jusqu'au pont Svermuv. Ils prirent ensuite le tunnel, aboutissant près du parc de la Culture, rue Strojnicka en face d'un immeuble qui semblait abandonné, tant il était en mauvais état.

– Vous avez de l'argent? demanda Tomase.

Malko l'assura de sa solvabilité.

– Ne dites pas pourquoi vous le cherchez, conseilla-t-il. Il aurait peur. Prétendez que c'est un de vos amis, que vous l'avez connu quand il était en poste à l'étranger... Que vous souhaitez seulement le retrouver.

Ils montèrent au cinquième. Tomase dut sonner longuement pour qu'un homme âgé, au type sémite prononcé, vienne leur ouvrir. Voûté, avec un gilet plein de taches, un pantalon sans forme et des pantoufles. Ses yeux chassieux dévisagèrent les deux hommes. Pleins de méfiance. Tomase déploya tout son charme et il les introduisit dans un petit salon qui sentait le renfermé, encombré d'objets et de lampes 1900 recouverts de deux siècles de poussière... Sans leur offrir à boire, il écouta les explications de Tomase, triturant un bouton invisible sur son menton mal rasé. Un chat noir surgit et s'installa sur ses genoux. Lorsque Tomase eut terminé, il lâcha une phrase brève.

– Il va voir s'il l'a dans ses archives, traduisit le journaliste. C'est deux cents dollars.

– Et s'il n'a rien?

– C'est deux cents dollars quand même.

Le vieux attendait en caressant son chat. Malko posa les deux billets sur la table. Il les examina soigneusement puis trottina hors de la pièce.

– Curieux personnage, remarqua Malko.

– N'est-ce pas? (Tomase semblait ravi.) Zev Machanski est un maniaque des archives. Cela fait quarante ans qu'il vit de cela.

– Quarante ans?

– Oui. Il a été déporté en Pologne où toute sa famille

a péri pendant l'Holocauste. Il s'est installé ici après la guerre. Comme Simon Wiesenthal, il s'est mis à rechercher les anciens collaborateurs et les nazis. Ensuite, soit il les dénonçait à des gens à qui ils avaient nui, soit, contre de l'argent, il les faisait chanter. En 1948, le changement de régime est arrivé à temps : ses listes commençaient à s'épuiser... Il s'est mis au service de la STB pour dénoncer les opposants. Le KGB l'a utilisé à plusieurs reprises. Maintenant, il fait la même chose avec le nouveau régime.

Enfin un personnage sympathique...

Le glauque collectionneur réapparut, une petite fiche de carton blanc à la main, s'assit en face de Malko et chaussa des bésicles à l'ancienne.

– Voilà, dit-il. Colonel Frantiska Ungelt. Second département. A été en poste à l'étranger en Suisse, en France, en Allemagne. Revenu depuis quatre ans au ministère de l'Intérieur. Chargé des Relations Extérieures et de la liaison avec Omnipol(1).

Zev Machanski se tut et lança quelques mots sur un ton plus aimable.

– Il demande si vous voulez partager avec lui son déjeuner, traduisit Tomase. Il a préparé de la *polevka* et une *rabinova kapsa*(2).

– Non merci, déclina Malko qui ne voulait même pas savoir ce qu'était la poche du rabbin. Est-ce qu'il sait où trouver le colonel Ungelt ?

Brève conversation. Zev Machanski se curait les ongles avec le carton blanc, recueillant soigneusement ce qu'il trouvait.

– C'est un renseignement très confidentiel, expliqua Tomase.

Ça voulait dire deux cents dollars en plus. Zev Machanski lissa soigneusement les billets avant de se

(1) Organisme d'Etat chargé de la commercialisation de matériel militaire.

(2) « Soupe d'élixir de vie » et « poche du rabbin ».

lancer dans une longue explication où Malko identifia le mot « agentura ».

– Il dit que cet homme possède une *agentura.* Mais il ne sait pas où elle se trouve. Il faudra revenir dans deux jours. Par contre, il a l'adresse d'Ungelt. Ulitza Blanicka, 12.

L'adresse de Beata.

– J'y suis allé, fit Malko, il n'y habite plus. Il n'y a qu'une jeune femme.

Traduction. Zev Machanski prit l'air furieux et relut attentivement son petit carton blanc, avant de se lancer dans des explications complémentaires.

– Il dit que cette femme ment, traduisit Tomase. Frantiska Ungelt est toujours très amoureux d'elle. Il l'entretient. Même s'il n'est plus là, elle sait sûrement où il se trouve. Maintenant, il va déjeuner. Pour l'adresse de l'agence, il faut revenir dans deux jours.

Derrière eux, Malko entendit claquer au moins une douzaine de verrous...

Zev Machanski attendit un bon moment avant de s'approcher du téléphone. Pesant le pour et le contre. Finalement, l'appât du gain fut le plus fort. Il composa un numéro tiré d'un vieux carnet noir, le plus secret de tous, écrit au crayon d'une écriture minuscule.

Dès qu'il eut son interlocuteur en ligne, il se mit à parler d'une voix plaintive, comme à l'accoutumée, avec des petits reniflements de vieillard malade. La conversation fut brève. Quand il raccrocha, il se précipita dans sa cuisine pour déguster enfin tranquillement sa *rabinova kapsa.*

Malko avançait au pas dans le tunnel, à demi asphyxié par les gaz d'échappement. Tomase rayonnait.

– Vous l'avez retrouvé, ce salaud!

– Je ne suis pas sûr qu'il ait dit la vérité.

Le Tchèque secoua la tête.

– Le vieux Zev est un homme sérieux. Il dit *toujours* la vérité. Qu'allez-vous faire maintenant?

C'était une bonne question à laquelle Malko n'avait pas encore répondu.

Bien sûr, il pouvait reprendre le contact avec Beata immédiatement. Il était deux heures; il avisa une cabine et s'arrêta à côté. Le numéro de Beata ne répondait pas... L'estomac dans les talons, il rejoignit Tomase.

– Vous savez où on pourrait déjeuner?

– Allons à Mala Strana, suggéra le Tchèque. Il y a une brasserie, *U Schnellu*, où on sert le meilleur goulash de Prague.

Mala Strana, c'était le quartier baroque, accroché au flanc de la colline du Château, avec de vieux palais, des places romantiques, des ruelles sorties du passé.

Le goulash de *U Schnellu* était effectivement délicieux, mais Malko n'arrivait pas à avaler un petit pois. Obsédé par les heures qui passaient. Le voitures piégées de l'opération Intiqam étaient peut-être déjà en route, alors qu'il cherchait toujours l'organisateur de l'horreur, le fantomatique colonel Ungelt.

De nouveau, il se leva pour téléphoner. Toujours pas de réponse chez Beata. Il fallait tuer le temps jusqu'au rendez-vous avec Zitna. La meilleure façon était encore de planquer devant le domicile de Beata. Au cas où...

Cinq heures trente. Malko, engourdi par la brusque chaleur, avait du mal à garder les yeux ouverts. Il avait trouvé une place en épi, presque en face de l'immeuble de la rue Blanicka. Soudain, une grosse Tatra 613 noire – joyau de la construction automobile tchèque – tourna dans la rue et stoppa devant le numéro 12. Au passage, il aperçut le chauffeur, un vieux monsieur à l'air distingué, puis la portière arrière s'ouvrit sur une paire de jambes superbes, suivies du tailleur de cuir vert qu'il connaissait déjà. Beata traversa d'un pas vif les quelques mètres qui la séparaient de son immeuble et s'y engouffra sans voir Malko. Ce dernier avait déjà lancé son moteur. Hélas, la Tatra redémarra comme une Ferrari, tourna à droite, descendant vers le centre ville. Deux voitures s'interposèrent et, la rage au ventre, Malko se retrouva seul sur Vitezneho Unora.

Il résista à l'envie de revenir immédiatement sur ses pas. Beata ne l'avait pas vu. Il pouvait exploiter cet avantage.

Il s'imposa donc de traverser le pont pour regagner son hôtel sur l'autre rive. Une fois dans sa chambre, il composa le numéro de Beata. La jeune fille répondit aussitôt.

– Quelle bonne surprise! fit-elle de sa voix chantante. Vous avez retrouvé Frantiska?

– Pas encore, dit Malko, je ne me presse pas, mais si vous êtes libre à dîner...

Il y eut quelques instants de silence.

– Mais c'est une très bonne idée! lança Beata. A quelle heure?

– Huit heures et demie?

– Parfait. Où voulez-vous aller?

– Vous connaissez mieux Prague que moi, objecta Malko.

– Très bien, dit-elle, je vais réserver. Sinon, ici, on n'a jamais de place. A tout à l'heure.

Malko descendait sans se presser le trottoir droit de la place Venceslas. Des groupes discutaient partout sur les bacs à fleurs, la terrasse du *Yalta* était bourrée, avec les putes habituelles. Il continua, passant devant les pâtisseries néo-gothiques de l'*Europa Hotel*. Juste après, il y avait une énorme porte cochère. L'endroit désigné par Zitna. Une voûte sombre conduisait à une cour, sans la moindre lumière, puis encore une voûte, une seconde cour, une troisième voûte et la dernière cour. Les immeubles devaient être occupés par des bureaux, car toutes les fenêtres étaient éteintes. A Prague, on vivait encore au rythme socialiste et on ne faisait pas d'heures supplémentaires.

Il s'engagea sous la première voûte sans voir Zitna. Machinalement, il vérifia la présence du Makarov sous sa veste avant de continuer; pas un chat dans la cour, aussi continua-t-il sous la seconde voûte sans plus de succès. Plus il s'éloignait, plus la rumeur de la place Venceslas diminuait. Il avait l'impression de pénétrer dans un autre monde, une autre dimension.

Arrivé au bout de la dernière voûte, Malko explora du regard la cour sombre devant lui. Personne. Ces vieux immeubles majestueux et noirâtres sans une fenêtre éclairée étaient oppressants. La place Venceslas semblait très loin. Il allait retourner sur ses pas lorsqu'il aperçut sur sa droite une tache verte. Comme une bâche dissimulant quelque chose posé sur le sol.

Il s'en approcha et réalisa avec horreur que la bâche avait des jambes! C'était un imperméable. L'imper vert de Zitna. Le pouls à 150, il se pencha. Les cheveux blonds de la jeune pute brillaient presque dans la pénombre. Son immobilité était celle d'un cadavre... Son visage était déformé, les yeux hors de la tête, la bouche ouverte sur un cri muet. Le ceinturon qui avait servi à l'étrangler était resté autour de son cou.

Il toucha sa joue.

Encore tiède!

Son assassin ne devait pas être loin.

Il était en train de saisir le pistolet glissé dans sa ceinture lorsqu'il vit du coin de l'œil une masse sombre surgir du couloir voisin.

Il n'eut que le temps de se retourner, une sorte de bûcheron gigantesque se rua sur lui. Une tête taillée à coups de serpe, avec de hautes pommettes d'Asiatique, un front qui ne dépassait pas quelques centimètres et des mains énormes.

Le choc l'aplatit contre le mur et lui fit lâcher le Makarov qui tomba sur le sol. Son adversaire avait déjà noué une main autour de sa gorge et il eut l'impression d'être un poulet en train de se faire tordre le cou.

Un voile noir passa devant ses yeux et une douleur aiguë au côté lui coupa les jambes. Le poing gauche de son adversaire venait de s'enfoncer dans son foie... Vacillant, il essaya en vain de se dégager, et se dit qu'il n'allait pas s'en sortir.

Inexorablement, la prise se resserrait autour du cou de Malko. En même temps, le « bûcheron » plongea la main gauche dans sa botte et la ressortit, tenant une courte baïonnette de Kalachnikov. Malko sentit les muscles du géant se bander. Il allait le saigner comme un porc.

CHAPITRE XVII

Une fraction de seconde avant que la baïonnette ne s'enfonce dans son ventre, Malko se fit lourd, comme s'il venait brutalement de s'évanouir. Surpris, son adversaire relâcha sa prise et il tomba à terre. Comme un noyé, il tendit le bras vers l'endroit où devait se trouver le Makarov, balayant le sol de la main. Ses doigts touchèrent la crosse au moment où le « bûcheron » s'apercevait de sa feinte. Avec un grognement furieux, il se laissa tomber sur Malko, lui enfonçant ses deux genoux dans le dos.

Malko, sous le coup d'une douleur horrible, faillit perdre connaissance. Si l'autre n'avait pas cherché à le retourner, il ne s'en serait peut-être pas sorti...

Au moment où son adversaire le reprenait par le cou, Malko repoussa le cran de sûreté du Makarov. Sans réfléchir, il enfonça le canon dans la poitrine du colosse et appuya sur la détente. Y laissant son doigt. Les détonations, assourdies par le bout touchant, claquèrent en rafale. Neuf coups. Le « bûcheron » sembla d'abord secoué par des décharges électriques, puis retomba d'une masse, du sang coulant déjà de sa bouche. Encore étourdi, Malko repoussa son corps et se releva en titubant, le sang bourdonnant dans ses oreilles. Il remit l'arme vide dans sa ceinture et se pencha sur le mort, examinant rapidement ses poches sans rien trouver.

Quelqu'un avait pu entendre les coups de feu. Il repassa sous les trois voûtes, retrouvant la rumeur de la place Venceslas, s'éloignant comme un somnambule. Machinalement, il consulta sa montre : sept heures dix. Il avait l'impression d'être resté un siècle dans cette cour sinistre.

Il ne lui restait plus qu'une piste. Beata.

Malko était encore exaspéré par la conversation qu'il venait d'avoir avec John Laramie, le chef de station de la CIA à Prague, lorsqu'il gara sa voiture rue Blanicka. La position des autorités du Château était simple : le gouvernement tchèque ne demandait pas mieux que d'aider la CIA à contrer une action terroriste, mais ils étaient incapables de retrouver le colonel Frantiska Ungelt. Comme s'il avait disparu de la surface de la terre... Quant aux autres éléments de l'affaire – les voitures piégées – il n'y avait rien de concret qui permette une parade. Le nouveau ministre de l'Intérieur avait quand même décidé de diffuser une circulaire aux postes frontières demandant de fouiller avec soin les voitures suspectes quittant la Tchécoslovaquie.

Un cautère sur une jambe de bois.

Et maintenant, c'était sur Malko, sans moyens et seul, que reposait la responsabilité de stopper une opération qui mettait en jeu un Etat souverain et plusieurs réseaux terroristes. La tentative de meurtre dont il venait d'être victime avait au moins le mérite de mettre les choses au clair. Le colonel de la STB avait identifié Malko. Alors que ce dernier en était encore à chercher sa trace. S'il ne sortait rien de Beata, il lui faudrait attendre deux jours que le vieux Zev Machanski « retrouve » l'*agentura* de Frantiska Ungelt.

Deux jours qui pouvaient rendre tous ses efforts inutiles.

La rage au ventre, il marcha vers la porte du numéro 12. Il était huit heures et demie pile. Il se heurta presque à Beata! Maquillée, superbe. Toujours en tailleur vert, sur lequel elle avait jeté un châle noir bordé de vison. Il eut le temps de surprendre une lueur de panique dans les yeux verts, puis, en une fraction de seconde, le sourire revint et la voix chantante lança :

– Vous êtes en avance, j'allais faire une course. Mais ça n'est pas pressé.

Elle le prit par le bras, le tirant à l'intérieur et se lança dans l'escalier, balançant ses hanches un peu larges sous le nez de Malko, qui suivit, plus qu'intrigué. A peine chez elle, Beata se débarrassa de sa cape et fixa Malko avec un sourire provocant.

– Il est un peu tôt pour aller dîner, non? J'ai retenu plus tard au *Palace*.

Cette femme était en acier. Elle alla au bar, en sortit une bouteille de Moët, des verres et les remplit, virevoltant autour de Malko, en apparence légère et insouciante. Le téléphone commença à sonner et s'arrêta aussitôt.

– J'ai mis le répondeur, dit Beata. Pour être tranquille.

Son regard insistant cherchait le sien. Elle se leva, mit en marche une chaîne Akai. De la musique tzigane. Le téléphone se déclencha à nouveau. Elle appela Malko.

– Venez voir ça.

Ça, c'étaient des photos d'elle en maillot.

– Vous avez l'air fatigué, dit-elle tout à coup avec une tendresse inopinée.

D'un geste gentil, elle caressa les cheveux de Malko et, comme par inadvertance, son bassin s'appuya au sien d'une façon sans équivoque. Leurs regards se croisèrent et elle lui adressa une moue faussement grondeuse.

– Coquin!

Comme si c'était *lui* qui se jetait sur elle. Le téléphone se déclencha pour la troisième fois. Il se passa deux choses dans la tête de Malko. D'abord, il comprit la raison de l'attitude de Beata et, ensuite, il éprouva une envie viscérale, irraisonnée de cette superbe garce. Aux Olympiades des allumeuses, elle raflerait toutes les médailles. Comme il passait un bras autour de sa taille, elle roucoula de sa voix chantante, montrant son cou.

– Fais-moi un bisou là et sois sage.

Grandiose! Elle frissonna un peu puis le repoussa.

– Viens, on va boire un peu.

– J'ai faim, dit Malko, allons dîner. On prendra un verre au restaurant.

Il se dirigeait déjà vers la porte. Et ce qu'il escomptait arriva. Beata lui barra la route, roucoulante, minaudante, mais bien décidée à l'empêcher de partir. Collée à lui, elle se laissa embrasser, s'échauffant peu à peu, permettant à Malko d'ouvrir la veste de son tailleur sous lequel elle ne portait qu'un soutien-gorge. Mais quand il alla plus loin, elle s'esquiva à nouveau. Un peu essoufflée, les yeux brillants, jouant l'effarouchement.

– Je vais être obligée de me remaquiller, lança-t-elle.

Appuyée au battant de la porte, elle lui faisait face. Le téléphone sonna pour la quatrième fois.

– Tu es très demandée, fit Malko, ironiquement. Je crois que je vais dîner seul. Je n'aime pas les allumeuses.

– Comme tu es méchant!

Il était en train de l'écarter pour sortir quand elle changea brutalement d'attitude. Les bras noués dans sa nuque, elle l'embrassa avec passion, ses mains commencèrent à explorer son corps, défaisant sa chemise, se glissant partout. Elle poussa un petit cri en découvrant le Makarov, l'ôta de la ceinture de Malko avec deux doigts.

– Tiens, tu es armé, dit-elle simplement.

Ça ne la refroidit pas et elle recommença à l'exciter tout en se frottant contre lui.

Quand il défit la fermeture de sa jupe de cuir, elle se tortilla pour la faire glisser plus vite, révélant des bas tenant seuls montant très haut.

– Tu vas me faire tout ce que tu veux, murmura-t-elle de sa voix chantante.

Elle le poussa sur le divan, plongea sur lui. Elle semblait avoir dix bouches et cent bras. Le téléphone ne sonnait plus. Quand Malko la débarrassa du slip de dentelle, il réalisa qu'elle ne jouait pas entièrement la comédie... Mais de nouveau, elle refusa son sexe. A quatre pattes sur le canapé, elle ne pouvait pourtant pas être plus provocante. Passant un bras sous sa taille, excité par ce faux viol, Malko n'hésita pas. Ignorant délibérément son ventre, il se posa à l'entrée de ses reins et força.

Pas vraiment, car Beata se contenta de pousser un gémissement ravi et il s'enfonça dans ses reins jusqu'à la garde. Ensuite, il se servit d'elle, s'abattant de toutes ses forces tandis que, prostrée, elle le recevait de tout son corps. Jusqu'à ce qu'il explose au plus profond d'elle-même.

Beata, toujours dans la même tenue, caressait distraitement la poitrine de Malko, une coupe de Moët en équilibre dans l'autre main.

– Tu es très fort, roucoula-t-elle, ça ne m'est jamais arrivé de me faire prendre comme ça la première fois...

Ce qui ne lui était jamais arrivé devait tenir sur un timbre-poste. Il était temps de revenir aux choses sérieuses. D'une voix égale, Malko demanda :

– Tu savais que ton ami Frantiska devait me faire assassiner aujourd'hui...

– Qu'est-ce que tu racontes!

L'intonation était outragée. Malko plongea dans les yeux verts.

– Quand je t'ai vue sortir, c'est Frantiska que tu allais rejoindre. Je sais que tu es toujours avec lui. Et si tu es remontée si vite, c'est parce que tu ne voulais pas que je le voie. C'est lui qui a téléphoné. Probablement de sa voiture. Alors, tu t'es dit qu'en te faisant baiser, tu m'empêcherais de ressortir.

Beata l'observait avec un demi-sourire, à la fois amusé et féroce.

– Tu es très intelligent, mon chéri, fit-elle de sa voix chantante. C'est vrai que je devais sortir avec lui. Quand il me demande, je ne peux pas refuser. Ce n'est pas lui qui venait me chercher, mais son chauffeur.

– Avec la grosse Tatra?

– Comment tu le sais?

– Je t'ai vue arriver dedans. Cet après-midi.

– Tu es très fort, roucoula-t-elle. Quand je t'ai vu, je me suis dit que je ne pourrais pas éviter de dîner avec toi. Il ne fallait pas que Jaroslav – le chauffeur – me voie avec toi. Il l'aurait répété à Frantiska qui aurait été capable de venir et de nous tuer tous les deux. A ce moment-là, je ne savais pas que tu étais armé. Mais tu sais, j'avais vraiment envie de toi... Sinon, je n'aurais pas fait ça. Maintenant, on va aller au restaurant...

– Tu n'as pas peur qu'il attende en bas?

– Non, il est trop orgueilleux. Il doit être fou de rage. Il faudra que je trouve une explication.

Tout en parlant, elle se rhabillait. Malko en fit autant et récupéra son Makarov. Beata ressortit de la salle de bains, fraîche comme une première communiante. Elle lui rappelait Mandy la Salope. En plus dangererux. Maintenant, il fallait qu'elle le mène au colonel Frantiska Ungelt. Au moment de sortir, il remarqua plusieurs tableaux neufs pendus dans la cuisine.

– Tu peins? demanda-t-il.

– J'aime bien, fit-elle. Un jour je ferai des expositions.

Les lumières tamisées de la salle à manger du *Palace*, à deux pas de la place Venceslas, rendaient Beata encore plus belle. On y mangeait presque bien et dans une loggia, il y avait même un casino de poche. Beata, rendue romantique par le vin de Moldavie, entrelaça ses doigts à ceux de Malko.

– A quoi penses-tu, mon chéri?

Son accent chantant aurait fait fondre un iceberg. Malko plongea ses yeux dorés dans les prunelles vertes.

– A ton ami, Frantiska Ungelt.

Elle sursauta.

– Laisse-le où il est. Tu n'es pas heureux avec moi?

– Très, fit Malko, mais je suis à Prague pour le retrouver.

– Tu veux le tuer?

Beata avait posé la question sur un ton parfaitement naturel. Il se demanda ce qui lui avait donné cette indifférence glaciale, cette dureté de tungstène. Au moins cela facilitait le dialogue.

– Tu sais ce qu'il fait en ce moment? demanda-t-il.

– Je ne sais jamais ce qu'il fait *vraiment*. Pourquoi?

– Il est en train de mettre sur pied une opération terroriste pour le compte de l'Irak. Qui doit coûter la vie à des centaines d'innocents.

– Ah bon!

Elle alluma une cigarette, avec un calme non affecté. Comme si Malko parlait de la pluie et du beau temps.

– C'est pour ça que tu veux le tuer? conclut-elle. Tu es contre les Irakiens?

– Je ne veux pas *nécessairement* le tuer, corrigea Malko, un peu désarçonné par le détachement de Beata. Je veux empêcher cette horreur. Pour cela, il faut que tu me dises où je peux trouver ton ami.

Beata le jaugea longuement, tira une bouffée de sa cigarette et dit avec lenteur, sur le même ton calme :

– Ecoute, mon chéri, tu as beaucoup de charme, tu m'as très bien baisée et je serais heureuse de te revoir. Mais je ne ferai *jamais* rien contre Frantiska. Tu ne sais pas d'où je viens. Il est ma seule protection dans la vie. Je n'ai personne. Il m'aime comme un fou. Il me pardonne tout. Même s'il apprend que j'ai baisé avec toi ce soir, il reviendra.

– Mais si je te dis qu'il prépare des attentats?

Elle eut un haussement d'épaules méprisant.

– Et alors? Tous les jours il y a des gens qui meurent. C'est la vie.

Il la regarda, sidéré par tant de tranquillité. Les beaux yeux verts s'étaient transformés en émeraudes. Glaciales. Mais sa voix chantait encore quand elle enchaîna :

– De toute façon, je ne ferai rien contre Frantiska.

Machinalement, Malko empila un tas de billets bleus de 1000 couronnes et Beata se leva. Dans la voiture, elle mit la tête sur l'épaule de Malko, très romantique.

– On se reverra peut-être un jour. Ailleurs.

Ils étaient arrivés rue Blanicka. Malko fit une dernière tentative.

– Je suis autorisé à dépenser beaucoup d'argent pour résoudre ce problème, avança-t-il.

Beata lui ferma la bouche d'un baiser et ronronna de sa voix chantante.

– Frantiska va me donner beaucoup d'argent. Je n'ai pas besoin du tien.

Elle descendit et se retourna, penchée vers lui.

– Fais quand même attention, mon chéri. Frantiska est *très* dangereux.

Malko redescendit vers Vitezneho Unora. Assommé, cette fois, la piste s'arrêtait là. Il ne tirerait rien de Beata. Il n'y avait plus qu'à rendre compte de son échec ou qu'à rechercher dans Prague une Tatra 613 dont il ne connaissait même pas le numéro. Autant chercher une aiguille dans une botte de foin.

Ultime espoir, le vieux Zev Machanski.

Le *Praha* ressemblait toujours à une église abandonnée. Surtout à cette heure tardive. Malko prit l'ascenseur et longea le couloir désert pour gagner sa chambre. Entendant du bruit, il se retourna : deux hommes venaient de surgir des toilettes du hall derrière lui. Massifs, costumes croisés, visages de brute, sans expression. Des têtes de kagébistes. Ce qui le frappa, c'est qu'ils ne parlaient pas entre eux.

Il était presque arrivé à sa porte lorsque deux autres surgirent en face de lui, apparemment sortant d'une chambre. Homologues des premiers. Cela sentait furieusement le piège.

Les quatre hommes convergeaient vers lui. Sans un mot, bloquant Malko entre la rangée de portes et à sa droite la rambarde en boiseries dominant le bar, dix mètres plus bas.

Au moment où Malko mettait sa clef dans la serrure, l'un d'eux sortit la main de sa poche, armée d'un court poignard. Instinctivement, Malko arracha le Makarov de sa ceinture et fit face.

Les quatre s'arrêtèrent. Le pistolet était vide mais ils ne le savaient pas. Cela donna à Malko le temps d'ouvrir et de refermer. Il se rua sur le téléphone pour demander de l'aide, mais vit la porte s'ouvrir : ils avaient un passe !

Lâchant le téléphone, il fonça sur la porte-fenêtre, l'ouvrit et passa sur le balcon-terrasse.

Les deux premiers de ses poursuivants étaient déjà là...

Il se lança dans une course d'obstacles, sautant de terrasse en terrasse, cherchant à prendre un peu d'avance. Un peu plus loin, il empoigna une table de bois et la projeta dans la porte-fenêtre. Il eut juste le temps de se glisser par l'ouverture et traversa la chambre comme un trait. Au moment où il ouvrait la porte donnant sur le couloir, il se retourna et vit un de ses poursuivants le viser avec un pistolet prolongé d'un silencieux. Il se baissa et une série de « plouf » sourds claquèrent derrière lui. Il détalait déjà vers le grand escalier menant à la réception. Comme il atteignait le hall, il vit derrière lui les quatre hommes lancés à sa poursuite. Un véritable commando d'extermination.

Sans hésiter, il se rua à sa voiture. Il était en train de démarrer lorsqu'ils apparurent. Trop tard pour le stopper. Il ne ralentit que beaucoup plus tard, sur Leninova, sûr de ne pas être suivi.

Il était impossible de retourner au *Praha* mais il se souvint que les deux stringers de la CIA travaillaient souvent tard, à cause de leurs clients canadiens. Il monta quatre à quatre l'escalier de la rue Pariska. La porte du bureau était ouverte. Loretta, penchée sur une machine de traitement de texte, leva la tête, stupéfaite.

– Qu'est-ce qui se passe?

Malko le lui expliqua, terminant en précisant qu'il n'avait pas de munitions pour le Makarov.

– C'est facile à arranger, assura-t-elle.

Elle ouvrit un tiroir et lui tendit une boîte de cartouches.

– Vous voulez dormir ici? proposa-t-elle. J'ai presque fini. Je vous laisse la clef. Nous serons là tôt, demain matin.

– Je vais voir, fit Malko, après avoir regarni le chargeur du Makarov.

Il ne se sentait pas la force de regagner le *Praha.* C'était trop pour un seul jour. Comble du paradoxe. C'est *lui* qui se retrouvait traqué par l'homme qu'il était venu débusquer à Prague...

A peine eut-elle disparu que Malko s'allongea sur le vieux canapé et s'endormit immédiatement.

Le bruit de la serrure fit sursauter Malko, qui se dressa, Makarov au poing. Hagard. Il faisait jour et ce n'était que le stringer de la CIA, un paquet de journaux sous le bras. Il les posa sur le bureau et s'approcha de Malko.

– J'ai des nouvelles, annonça-t-il. Des bonnes et des mauvaises.

– Les mauvaises, c'est quoi?

– Zev Machanski a été assassiné hier soir. Deux balles dans la tête. Son appartement fouillé.

Le colonel Frantiska Ungelt bétonnait.

– Et les bonnes?

– Je vous avais parlé de mes déserteurs soviétiques, n'est-ce pas? Il y en a un qui m'a appelé ce matin, Dimitri Sevchenko. Il était bouleversé parce qu'un de ses copains a été abattu hier près de la place Venceslas. D'après ce que Loretta m'a raconté de vos aventures, ce doit être celui que vous avez tué hier soir. Ce type travaillait pour une *agentura*, mais Dimitri ne savait pas laquelle. Or, deux autres de leurs amis arrivent ce soir de Brno, recrutés par la mêma *agentura*.

– *Himmel!* fit Malko. C'est forcément l'*agentura* de Frantiska Ungelt! Il faut retrouver votre Dimitri, en apprendre plus.

– Impossible, il quittait Prague ce matin, il a trouvé du travail à Bratislava.

De nouveau, le destin jouait avec Malko, renouant le fil menant au colonel de la STB. Un fil ténu : deux inconnus arrivant dans une gare, perdus au milieu des autres voyageurs. Il se raccrocha soudain à une chance minuscule. Peut-être que l'intermède Beata n'avait pas été inutile, après tout.

CHAPITRE XVIII

– A quelle heure arrive le train de Brno?

Le Canadien alla consulter une brochure avant de répondre.

– 18 h 06, gare centrale de Vitezneho Unora. Qu'est-ce que vous voulez faire?

– Y aller, dit Malko. J'ai une petite idée. Est-ce que Loretta peut venir avec moi?

– Bien sûr.

Malko digérait la nouvelle de l'élimination de Zev Machanski. Tout avait une cohérence impitoyable. L'ancien colonel de la STB, sachant Malko sur ses traces, tranchait férocement toutes les pistes pouvant mener à lui. C'était bien l'homme chargé par les Irakiens de déclencher leur campagne terroriste. Dans un pays comme la Tchécoslovaquie, il ne risquait rien de la part des autorités officielles, trop timides. Seul Malko pouvait le gêner.

Zev Machanski avait fait un chantage de trop. En voulant toucher des deux mains, il s'était suicidé.

Malko trempa ses lèvres dans une bouillie noirâtre supposée être du café. Se demandant comment il allait tuer le temps jusqu'à l'arrivée du train de Brno; il allait partir se raser et se changer quand le téléphone sonna.

Rupert Goose répondit et se tourna vers Malko.

– C'est Tomase. Il a trouvé quelque chose de très important pour vous. Il voudrait vous voir tout de suite.

– Où?

– Dans le lobby de l'*Intercontinental.*

– J'y vais, promit Malko.

Il se raserait et se laverait plus tard.

Une cohorte serrée de touristes japonais partait en rangs par trois vers le décor de théâtre de la vieille ville. Malko remonta leur flot, découvrant Tomase dans un des fauteuils du hall. Le journaliste se leva d'un bond et vint vers lui, apparemment très excité.

– Au cours de mon enquête sur la STB je suis tombé sur un « repenti », un certain Ian Jiru qui va témoigner devant la commission d'enquête gouvernementale le mois prochain. Il accepte de me parler à moi d'abord.

– En quoi peut-il être lié à mon affaire?

– Il était employé par Omnipol. Pour la liaison avec la STB. Il était en charge des commandes passées par la STB pour leurs « clients » particuliers. Les services de renseignements de certains pays et même des groupes terroristes. Il n'a cessé ses fonctions que très récemment.

Ils reprirent les quais de la Vltava, vers le sud, rejoignant le quartier de Podoli. Ian Jiru habitait une petite maison à côté du parc Druzby. Il leur ouvrit, en chemise et pantoufles. Un gros homme au teint gris, au regard mort, avec des poches sous les yeux.

– Mr. Linge enquête sur les activités de la STB pour le compte du gouvernement américain, expliqua Tomase.

Ils s'assirent autour d'une table recouverte d'une toile cirée. Ian Jiru paraissait complètement abattu et fumait sans arrêt, le regard vide.

– Pourquoi parle-t-il? demanda Malko.

– Il a été licencié et il cherche du travail. S'il veut en trouver, il doit collaborer. Lui n'était pas membre du Parti, mais simple fonctionnaire.

– Que veut-il révéler?

– Les commandes destinées aux clients « spéciaux » d'Omnipol, armes, explosifs, ou équipements sophistiqués comme des détonateurs, n'étaient jamais livrées directement à la STB, mais à un transitaire agissant pour son compte, CEXPORT, situé à l'aéroport de Prague. Seul Ian Jiru connaissait la destination finale des colis. Lorsque les communistes ont commencé à perdre le pouvoir, un haut fonctionnaire de la STB s'est rendu chez Omnipol et a exigé qu'on lui remette tous les documents relatifs aux expéditions de ce matériel.

– Qui?

– Le colonel Frantiska Ungelt.

Au nom d'Ungelt, Ian Jiru opina vigoureusement de la tête. Jusqu'ici, Malko n'apprenait rien. Les communistes avaient eu tout le temps nécessaire pour faire le ménage... Les broyeuses avaient dû travailler dur.

– Que sait-il d'Ungelt?

– Pas grand-chose. Il était en contact téléphonique fréquent avec lui, c'est tout. Strictement professionnel. Il n'a d'ailleurs plus entendu parler de lui jusqu'en décembre dernier où Ungelt lui a téléphoné.

– Il avait déjà quitté la STB?

– Oui, depuis six mois, mais il traitait encore certains dossiers. Ungelt a dit à Ian Jiru qu'il avait été relancé par un de ses clients et qu'il voulait s'assurer que sa commande serait bien livrée.

– Le nouveau gouvernement n'a pas arrêté l'activité d'Omnipol? interrogea Malko.

– Ils n'ont pas pu, avoua Tomase. Omnipol rapporte à l'Etat tchécoslovaque trois milliards de dollars par an, avec les chars T.52 et le matériel léger. C'est beaucoup d'argent. Donc, Vaclav Havel a fermé les yeux et accepté que les commandes en cours soient livrées, avec un droit de regard sur les nouveaux contrats.

– En quoi consistait cette commande réclamée par Ungelt?

– Il a prétendu qu'il s'agissait de matériel destiné à l'armée libyenne qui serait payée en dollars et dont une partie avait déjà été versée. Si on ne livrait pas, Omnipol serait obligé de rembourser. Ian Jiru a rendu compte à ses chefs qui lui ont donné le feu vert et il a dit « oui » à Ungelt.

– De quoi s'agissait-il?

Tomase posa la question directement à Ian Jiru qui se lança dans une grande explication, traduite au fur et à mesure.

– Il s'agissait de près de cinq cent kilos de *Semtex* et de *Petn*, des explosifs très puissants fabriqués chez nous. Des dérivés du fameux plastic, avec une force de déflagration dix fois plus forte. Les Libyens les voulaient en plaques d'un centimètre d'épaisseur, pouvant être modelées dans n'importe quelle forme.

Malko était suspendu à ses lèvres. Il se retrouvait en terrain connu... Au Liban, les Milices utilisaient le Semtex comme explosif indétectable, après l'avoir peint et orné d'accessoires. Même les chiens ne pouvaient le repérer.

– Avec les explosifs, continua Tomase, il y avait une centaine de détonateurs miniaturisés, certains avec un mouvement d'horlogerie.

Le parfait attirail de terroriste.

– Que sont devenus ces explosifs? interrogea Malko.

– Ils ont été livrés à CEXPORT, le transitaire dont les entrepôts se trouvent à l'aéroport, afin qu'il les expédie.

– Ils sont partis en Libye?

– Non.

– Pourquoi?

– Entre temps, le nouveau gouvernement de Vaclav Havel a reçu des protestations des pays occidentaux qui ont découvert le pot aux roses. Depuis le 1er janvier de cette année, pas une caisse n'a été livrée. Comme ce sont des partisans de Vaclav Havel qui ont pris le contrôle de l'expédition du fret, la mesure a été vraiment appliquée. Le gouvernement a décidé d'examiner les commandes une par une afin de vérifier si la STB ne se moquait pas de lui.

– Donc, ces explosifs se trouvent toujours à l'aéroport, conclut Malko, soulagé.

– Attendez! continua Tomase. Ian Jiru, qui est un fonctionnaire consciencieux, a voulu avertir ses clients du retard. Il a donc expédié un télex au destinataire de la commande demandée par le colonel Ungelt, un des bureaux d'achat de l'armée libyenne. Voici la réponse qu'il a reçue.

Il adressa quelques mots à Ian Jiru qui tira de sa poche un télex froissé rédigé en anglais et le tendit à Malko. Les Libyens affirmaient ne pas être au courant de la commande référencée par Omnipol.

Un lourd silence s'ensuivit. Malko était glacé par ces révélations. Tout s'emboîtait parfaitement. Le colonel Ungelt avait eu besoin d'une quantité importante d'explosifs et avait tout organisé... Pourtant, quelque chose clochait.

– Comment Omnipol a-t-il livré cette commande à la STB sans documents, puisque les Libyens n'ont rien commandés?

– La STB pouvait parfaitement en fabriquer de faux. Cela se faisait souvent pour dissimuler certaines destinations « sensibles ».

– Où sont exactement ces explosifs?

– Il y a quelques jours, à la demande de la commission d'enquête, Ian Jiru est allé à CEXPORT faire le point sur le matériel entreposé. La soi-disant commande libyenne a disparu. Elle a dû être enlevée avec un camion par quelqu'un qui possédait les clefs du local.

Malko sentit son estomac se serrer. Un pan supplémentaire du puzzle diabolique des Irakiens se dévoilait.

S'il ne mettait pas la main dans les heures qui suivaient sur le colonel Ungelt, il y aurait des centaines de morts en Europe.

– Vous désirez savoir autre chose? demanda Tomase.

– A sa connaissance, y a-t-il des groupes terrroristes implantés en Tchécoslovaquie?

Question, réponse et traduction.

– Non.

Ils prirent congé de Ian Jiru. Malko n'avait plus qu'une hâte : rendre compte de cette dernière information au chef de station de la CIA. Ce qu'avait révélé l'employé d'Omnipol signifiait que les Irakiens étaient en mesure de provoquer des dizaines d'attentats en Europe. Trois cents grammes d'explosif suffisaient à couper un avion en deux. Avec cinq cents kilos, on pouvait déclencher une campagne de terreur capable de retourner toutes les opinions publiques. Même si cela ne rapportait rien à Saddam Hussein, il serait vengé de son humiliation publique.

A l'ambassade US, après avoir largué Tomase à son bureau, il fut reçu immédiatement par John Laramie.

– Je viens de recevoir un message de Langley, annonça ce dernier.

Malko lut le télex. C'était simple et clair : toute personne impliquée dans l'opération Intiqam devait être terminée avec « extrême préjudice ». Dans le langage codé de la CIA, cela signifiait l'élimination physique du colonel tchèque et de ses complices. Malko reposa le télex.

– C'est idiot, remarqua-t-il. Nous ne l'avons même pas retrouvé. Par contre, moi, j'ai du nouveau...

John Laramie perdit ses couleurs en écoutant l'histoire des cinq cents kilos d'explosifs détournés.

– Je vais demander une audience immédiatement au ministère de l'Intérieur, dit-il, et avertir Langley.

– Langley est à sept mille kilomètres, remarqua Malko, et je pense que les Tchèques sont bien incapables de mettre la main sur ces explosifs.

– Mais c'est horrible! sursauta l'Américain. Que voulez-vous faire? On ne peut quand même pas se croiser les bras.

– Sûrement pas, dit Malko. Il y a encore une petite chance à tenter avant de sonner le sauve-qui-peut général. J'ai maintenant une idée précise du plan Intiqam. Anouar Rashimi avait parlé de voitures piégées. C'est vraisemblablement le colonel Ungelt qui les a préparées avec des gens à lui et les explosifs qu'il s'est procurés à Omnipol. Seulement, il faut des gens pour conduire ces véhicules...

– Et alors?

– Ungelt a dû recruter les chauffeurs, conclut Malko. Je ne vois que deux possibilités : soit des terroristes européens planqués dans ce pays à la suite de la réunification allemande, soit des déserteurs de l'armée soviétique qui n'ont rien à perdre.

– Des Soviétiques?

– Oui. L'homme qui a voulu me liquider et qui a étranglé Zitna en était un et travaillait pour Ungelt. J'ai su, par votre stringer, que Ungelt en a recruté au moins deux autres. Ils arrivent aujourd'hui de Brno par le train.

L'Américain sursauta.

– C'est formidable!

Malko doucha son enthousiasme.

– J'ignore simplement tout d'eux. Même leur apparence physique.

– Il faut prévenir la VB.(1)

– Ils ne vont pas cribler tous les passagers d'un train.

(1) Verejna Bezpecnost (Sécurité publique).

– Comment comptez-vous vous y prendre?

– J'ai un indice, dit Malko. Si je me trompe, il n'y aura plus qu'à obtenir du gouvernement qu'il boucle le pays.

John Laramie lui jeta un regard affolé.

– Vous savez bien qu'il ne le fera pas.

– Espérons que si. C'est pour ça qu'il faut prier pour moi, conclut Malko.

*
**

La gare de Praha-Hlavni Nadrazi était un hideux monument en bordure de Vitezneho Unora, l'autoroute urbaine filant vers la rive droite de la Vltava. Malko regarda la grosse horloge juste en-dessous du gigantesque sigle doré qui semblait prêt à prendre son envol au sommet de la coupole du hall, bizarrement éclairé par des vitraux.

– Le train de Brno va arriver dans deux minutes, dit-il à Loretta, installée à côté de lui.

Celle-ci arborait une de ses tenues hypersexies : robe à peine plus longue qu'un boléro sur des collants à fleurs glissés dans des bottes souples. Ses seins ballottaient librement, partiellement couverts par son décolleté.

– Je vais voir s'il est à l'heure, proposa-t-elle.

Elle s'éloigna vers la gare. Malko s'était garé juste avant, sur le trottoir. Heureusement, il n'y avait qu'une sortie. Il avait été faire un tour à l'intérieur pour le vérifier. Découvrant une atmosphère d'une tristesse sordide. Un hall dégoûtant dominé par deux cariatides grisâtres, un immense couloir désert où erraient quelques clochards, et, au fond, des rames de wagons verts. La gare semblait abandonnée.

Loretta revint en courant et se laissa tomber dans la voiture, essoufflée :

– Il vient d'entrer en gare, annonça-t-elle.

Elle avait à peine fini sa phrase que Malko vit grandir dans son rétroviseur une grosse Tatra 613 noire.

Les battements de son cœur s'accélérèrent. La limousine glissa à sa gauche et il eut le temps de reconnaître le vieux chauffeur moustachu qui avait déposé Beata chez elle. C'était la voiture du colonel Frantiska Ungelt. Il avait envie de hurler de joie.

Le véhicule stoppa en face de la gare, trente mètres devant Malko, et personne n'en sortit.

Le flot des voyageurs se déversait sur le trottoir, la plupart s'éloignant à pied. Il n'y avait pas de taxi. Certains se dirigeaient vers la station de métro de la ligne B située de l'autre côté de l'autoroute.

Tous étaient mal habillés, chargés d'invraisemblables balluchons, de paniers, traînant des enfants. On aurait dit l'arrivée d'un train de déportés. Au moment où le flot se tarissait, deux hommes émergèrent du hall. Différents. De haute taille, portant de courtes bottes noires, des parkas et des sacs à dos. Très blonds tous les deux.

Ils hésitèrent quelques instants avant de se diriger vers la grosse Tatra noire. Au même moment, le chauffeur sortit et les héla. Ils échangèrent quelques mots, il ouvrit le coffre et ils y jettèrent leurs sacs avant de monter dans le véhicule. L'un à l'avant, à côté du chauffeur, l'autre à l'arrière. La Tatra démarra aussitôt et prit de la vitesse, se dirigeant vers le pont Hlavkuv. Malko laissa trois voitures et se glissa dans la circulation à son tour.

– Ce sont eux! dit-il à Loretta.

Cette fois, il était bien décidé à ne pas se faire semer. Visiblement, le chauffeur ne l'avait pas repéré et conduisait assez lentement. Il tourna à gauche dans Veletrzni remontant vers l'avenue Milady Morakove.

Trois kilomètres plus loin, la Tatra tourna à gauche dans une sorte de zone industrielle dominant Mala Strana, pour se ranger un peu plus loin en face d'un entrepôt prolongé par un cimetière de voitures. Malko continua un peu et s'arrêta devant une impasse d'où il pouvait observer les lieux. Le chauffeur descendit, ouvrit un portail et amena la Tatra en face d'un bâtiment dont presque toutes les vitres étaient brisées. Ses passagers descendirent et il les fit entrer dans ce qui ressemblait à une usine abandonnée.

Rien ne se passa pendant une demi-heure, puis le chauffeur réapparut, seul, remonta dans la Tatra et ressortit.

Avant de s'éloigner, il passa une énorme chaîne autour de la grille et la ferma par un cadenas.

Malko regarda la grosse voiture descendre vers Milady Morakove. Les deux Soviétiques étaient donc venus accomplir un travail pour l'ex-colonel de la STB. Vraisemblablement, conduire des voitures piégées. Il fallait progresser un peu plus. Au moment où il démarrait, Loretta ouvrit la portière.

– Laissez-moi là, dit-elle simplement. Je vais surveiller. A tout à l'heure.

Il la remercia d'un sourire et fonça aux trousses de la Tatra. Il mit près d'un kilomètre à la recoller. Elle était arrêtée au feu commandant le croisement avec Slovenskeho Povstani, grande avenue rejoignant Leninova. La Tatra tourna ensuite, remontant Leninova puis s'engagea dans une voie menant au quartier résidentiel de Dejvice. Semée de grosses villas carrées sans grâce, réservées jadis aux apparatchiks du régime. Apparemment, rien n'avait changé. C'était cossu, laid et triste, dans le plus pur style stalinien.

La grosse voiture noire, presque au sommet de la colline, s'engagea dans une rue étroite et déserte où Malko ne voulut pas la suivre. D'où il se trouvait, il la vit s'immobiliser devant un portail qui s'ouvrit électroniquement et pénétrer dans un jardin d'une grosse villa grise de trois étages, cubique comme un dé. Malko nota le nom de la rue : ulitza Zlatnice et passant devant le « dé », le numéro : 14.

Il venait de découvrir la tanière du colonel Frantiska Ungelt.

CHAPITRE XIX

La nuit était tombée depuis une bonne heure. Pas une lumière ne filtrait de l'entrepôt où les deux Soviétiques se terraient toujours. Malko avait retrouvé Loretta frigorifiée : rien ne s'était passé durant son absence. Deux phares apparurent à l'entrée de la rue et il reconnut la Zastava beige de Rupert Goose, qui venait le relever. Lui devait filer d'urgence à l'ambassade américaine.

Après avoir conduit Loretta jusqu'à la voiture de Rupert Goose, Malko prit la direction de Mala Strana. Le seul bureau encore allumé de l'ambassade était celui du chef de station de la CIA... John Laramie, prévenu par un coup de fil de Malko, accueillit ce dernier avec chaleur.

– Ça y est! Vous l'avez retrouvé?

– Il habite 14 rue Zlatnice, annonça Malko. Dans une très belle villa, à Dejvice. Et nous savons également où se trouvent les deux Soviétiques qu'il a probablement recrutés pour conduire des voitures piégées.

– Et celles-ci?

– Je ne sais rien encore, avoua Malko. Que comptez-vous faire maintenant?

– Dès demain matin, je vais au Château et je demande l'interpellation immédiate du colonel Ungelt.

Avec les éléments que je vais leur communiquer, ils ne peuvent pas refuser.

– On ne peut rien faire ce soir?

L'Américain eut un sourire ironique.

– La Tchécoslovaquie officielle arrête toute activité à cinq heures. Et, *vous*, que comptez-vous faire?

– Ne pas relâcher ma surveillance sur cet entrepôt et aviser selon les événements, dit Malko. Je retourne là-bas. Dès demain matin, il faut le faire perquisitionner par la police tchèque.

*
**

Cinq heures dix du matin. La rue Novy Svet était silencieuse, déserte et totalement sinistre. De gros nuages noirs filaient dans le ciel. Malko bâilla, exténué : il n'avait pas dormi plus de trois heures. Une silhouette apparut, venant du fond de la rue. Loretta. Elle avait pris le bus. Même la nuit, ils ne s'arrêtaient pas. La jeune femme se glissa dans la voiture et déposa un paquet sur les genoux de Malko. Des sandwiches au jambon de Prague. Il en dévora deux.

– Vous n'êtes pas fatigué? demanda Loretta.

– Un peu.

– Reposez-vous, je vais surveiller.

Il inclina son siège en arrière et ferma les yeux. Il dormait presque lorsqu'il sentit quelque chose se poser avec douceur sur son ventre. Il entrouvrit les yeux et vit Loretta penchée sur lui, ses seins presque découverts à quelques centimètres de son visage.

Le crissement du zip, quelques instants plus tard, lui parut assourdissant. Il sursauta quand la bouche de la jeune femme l'engloutit, puis sa tension se dissipa dans cette gaine accueillante. Cette fellation dans la rue déserte où l'aube pointait avait quelque chose d'irréel. Mais lorsque la peau satinée des seins emprisonna son membre raidi, ce fut encore plus délicieux. Loretta avait fait glisser les épaulettes de sa robe et, agenouillée sur le siège voisin, se servait de sa poitrine comme d'un délicieux fourreau. Malko ne lutta pas lorsqu'il sentit monter le plaisir et c'est la bouche de Loretta qui le recueillit. Son spasme fut si violent que sa tête heurta le pavillon.

D'un geste naturel, Loretta réenfila sa robe, et Malko redescendit progressivement sur terre. Ils n'avaient pas échangé un mot, mais elle avait merveilleusement deviné le fantasme qui habitait Malko depuis leur première rencontre.

Il leva le regard vers le ciel en train de s'éclaircir. Les heures qui suivaient allaient être décisives. En face de lui, l'entrepôt était toujours silencieux et sombre.

A huit heures pile, une Ford Capri blanche s'arrêta devant la grille cadenassée. Le chauffeur de la Tatra en descendit et disparut à l'intérieur par une porte latérale du bâtiment.

Cinq minutes plus tard, il en ressortait, accompagné d'un des deux Soviétiques. Celui-ci arborait maintenant un jeans et un blouson de daim. Après avoir chargé dans le coffre un sac de voyage et plusieurs paquets plats enveloppés de papier kraft, il prit le volant de la Capri et le vieux chauffeur monta à côté de lui. La voiture fit demi-tour et repartit vers Milady Morakove. Malko, le pouls à 150, démarra à son tour. Assez près pour distinguer la plaque de la Capri : H-653802. Une immatriculation allemande de Hambourg. Elle descendit la grande avenue jusqu'au coin de Slovenskeho Povstani et stoppa pour déposer le vieux chauffeur qui gagna un arrêt de bus. La Capri tourna à gauche, vers Leninova. Malko sur ses talons. Il y avait une urgence absolue à ne pas perdre cette voiture, très probablement piégée. Il se tourna vers Loretta, au feu rouge suivant, en face d'une cabine téléphonique.

– Descendez ici. Appelez John Laramie et Rupert, qu'ils vous rejoignent tout de suite à l'entrepôt, avec la police, si possible. Après vos coups de fil, remontez là-haut. Il ne faut pas laisser ce second Soviétique sans surveillance.

Malko avait laissé une dizaine de voitures entre la Capri et lui. Le Soviétique ne semblait pas habitué à conduire. Arrivé en bas de Slovenskeho Povstani, il tourna autour du rond-point et s'engagea dans Leninova. L'un suivant l'autre, ils parcoururent cinq ou six kilomètres. Les maisons commençaient à se clairsemer. Comme ils abordaient le quartier de Vokovice, la Ford traversa un carrefour juste avant que le feu ne passe à l'orange. Malko, qui accélérait pour ne pas se faire semer, dut piler brutalement, gêné par les voitures devant lui. Impossible de se dégager : d'ailleurs, une rame de tram, suivant les rails qui coupaient la chaussée, traversait l'avenue Leninova avec une sage lenteur.

Sergueitch Lissenko n'avait pas conduit depuis longtemps et ne se sentait pas très sûr de lui. A vingt mètres du carrefour, un tram venait de s'arrêter, dans la partie centrale de l'avenue Leninova. Le Soviétique s'apprêtait à le doubler à droite lorsque des passagers en descendirent pratiquement sous ses roues, en lui adressant des gestes de protestation. Instinctivement, il écrasa son frein. Sans voir que la voiture qui le suivait n'avait pas la place de l'éviter. Elle le heurta violemment à l'arrière.

Malko, arrêté au feu rouge, rongeait son frein. La Capri avait disparu, cachée à ses yeux par la rame de tram arrêtée en plein milieu de la chaussée, vingt mètres devant lui.

La déflagration assourdissante le prit totalement par

surprise. Quelques fractions de seconde plus tard, l'onde de choc frappa de plein fouet la rame de tram, renversant les trois wagons sur les premières voitures arrêtées au feu rouge, projetant des débris de verre coupant comme des rasoirs à cinquante mètres à la ronde. La voiture stoppée devant Malko recula, heurtant sa calandre et soulevant son capot. C'est probablement ce qui lui sauva la vie.

Rabattu sur le pare-brise, le capot se transforma en bouclier, criblé de projectiles de toutes sortes, et le pare-brise se contenta d'imploser, devenant instantanément opaque.

Assourdi, sonné, Malko ouvrit sa portière coincée d'un coup d'épaule. La voiture à côté de lui avait été soulevée comme un fétu de paille et projetée contre un réverbère. Un de ses occupants, écrasé dans les tôles, hurlait à la mort.

Une colonne de fumée blanche, de l'autre côté de ce qui restait de la rame renversée, montait tout droit dans l'air. Signe d'une explosion ultrapuissante dont la détonation vidait l'air de son oxygène. Dessous, des flammes rouges commençaient à gronder. Le sol était jonché d'éclats de verre, un nuage de poussière et de débris divers en suspension flottait sur toute la scène. Malko faillit buter sur une femme allongée sur la chaussée, morte, sans blessure apparente. Plusieurs rescapés, hébétés, restaient sur place, regardant sans les voir les colonnes de fumée et de flammes. D'autres, couverts de sang, s'enfuyaient dans tous les sens. Une femme hurlait dans un des trams en feu. Un enfant, à demi carbonisé, était resté coincé dans une des portes par laquelle il essayait de s'échapper.

Malko fit quelques pas, contournant la rame renversée, marchant sur les débris, évitant avec un haut-le-cœur un bras humain déchiqueté à l'épaule. De l'autre côté de la rame renversée, c'était encore pire. Des corps étendus partout, projetés à des dizaines de mètres : les malheureux qui attendaient le tram. A perte de vue, des blessés et des morts. Deux voitures brûlaient, glaces volatilisées, leurs passagers encore sur les sièges. Une petite Trabant jaunâtre n'était plus qu'une torche, son plastique fondait comme de la cire. Machinalement, Malko chercha du regard la Ford Capri blanche. Il n'en restait rien. Qu'un énorme cratère noir sur la chaussée.

Il fit demi-tour, hébété d'horreur. Une boule monta dans sa gorge, enfla jusqu'à lui couper la respiration. En même temps, il avait envie de vomir. On ne saurait jamais quelle fausse manœuvre avait commis le jeune Soviétique...

Des sirènes hurlaient en se rapprochant. Une voiture jaune de la VB arriva à toute allure, son énorme gyrophare bleu tournant sur le toit. Quatre policiers en jaillirent, casquettes à bandes rouges et uniformes verdâtres et demeurèrent figés, dépassés par l'ampleur de la catastrophe.

Une épaisse fumée noire et nauséabonde s'élevait maintenant des véhicules en feu, empoisonnant l'atmosphère. Des cris déchirants montaient de tous les côtés.

Malko s'éloigna, une seule idée en tête. Empêcher que cette horreur se reproduise. Pas question d'utiliser sa voiture. Il se mit à descendre Leninova, croisant des ambulances hurlantes qui se ruaient sur les lieux.

Sans la rame de tram, il aurait été tué à coup sûr, lui aussi. Le souffle brûlant l'aurait séché sur place. Ce n'est que cinq cents mètres plus loin qu'il trouva enfin un taxi, qui le contempla avec affolement. Ses vêtements étaient couverts de poussière, plusieurs coupures saignaient sur son visage, et il avait l'air hagard.

– A l'ambassade américaine, dit-il.

Une fois dans le véhicule, il s'effondra, pris d'un brutal tremblement. La mort l'avait vraiment frôlé de très près. Il avait à peine repris ses esprits lorsque le taxi s'arrêta en face de l'ambassade. Le Marine de garde, en faction derrière son verre blindé, le fixa avec stupéfaction.

– Qu'est-ce qui vous est arrivé, Sir? demanda-t-il.

– Un attentat, dit Malko. Prévenez John Laramie. Vite.

Deux minutes plus tard, il pénétrait dans le bureau du chef de station de la CIA. Ce dernier le fixa, atterré, prit une bouteille de Johnny Walker dans son bar et en versa une grande rasade à Malko.

– *My God!* Qu'est-il arrivé? Je me préparais à partir au Château. J'ai eu l'appel de Loretta. Depuis, je suis au téléphone pour faire bouger les Tchèques.

– J'ai repéré une des voitures piégées de l'opération Intiqam, expliqua Malko. Elle a explosé accidentellement et j'ai failli être tué. Il y a des dizaines de morts.

– J'ai entendu l'explosion, dit l'Américain.

– J'ai besoin d'une voiture, tout de suite, fit Malko.

– Vous allez prendre la mienne, proposa John Laramie. Venez.

Ils s'engouffrèrent dans l'ascenseur jusqu'au sous-sol et Malko lui communiqua plus de détails.

– J'ignore où sont garés les véhicules préparés par Ungelt, dit-il. C'est son chauffeur qui a amené celle-là. Il doit être en train d'en amener une autre pour le second Soviétique. Il faut que je l'intercepte. Pendant ce temps-là, remuez ciel et terre pour qu'on arrête immédiatement Frantiska Ungelt.

La Chevrolet du chef de station était garée près de la rampe d'accès. Comme un automate, Malko s'y installa, lança le moteur et laissa la moitié de ses pneus sur le ciment du parking.

Il lui fallut à peine cinq minutes pour arriver en face de l'entrepôt. Un immense soulagement l'envahit : la Zastava de Rupert Goose était là, avec lui et Loretta. Le Canadien alla au-devant de Malko.

– On a entendu une explosion...

– La Ford Capri a sauté, dit Malko. Ici, qu'est-ce qui s'est passé?

– Rien. Personne n'a bougé.

– Le chauffeur d'Ungelt n'est pas revenu?

– Non.

De nouveau, il eut l'impression qu'une main géante lui comprimait l'estomac. Rien ne disait que le vieux chauffeur revienne. Il fallait en avoir le cœur net. Coûte que coûte.

– Restez à l'extérieur, dit-il à Rupert Goose. Je vais défoncer le portail. Refermez tant bien que mal et ouvrez l'œil. On va piéger le chauffeur s'il revient.

Il remonta dans la Chevrolet, fit une marche arrière et se lança à toute vitesse sur le portail cadenassé.

Le pare-chocs de la lourde américaine fit voler en éclats la chaîne condamnant le portail dont les battants s'écartèrent violemment. Malko arrêta la Chevrolet en face du bâtiment et sauta à terre, son Makarov au poing.

Il ouvrit une porte donnant sur un couloir et aperçut sur sa droite une grande cuisine. Un homme était en train de se dépêtrer de son banc, abandonnant son bol de café. Le second déserteur soviétique, arrivé de Brno. Voyant le pistolet, il leva les bras et demanda d'une voix hésitante :

– *Policie?*

– *Nie policie*, continua Malko en russe. Tu attends Jaroslav?

C'est Beata qui lui avait livré involontairement le nom du chauffeur.

– *Da, da!* affirma le Soviétique, visiblement dépassé.

– Il t'apporte une voiture?

– *Da.*

– Tu sais pourquoi?

Cette fois, le Soviétique baissa la tête sans répondre.

Un gros rustaud, pas très intelligent, avec la sensibilité d'un bloc de granit.

– Combien on te paie?

– Cinq mille dollars.

– Tu dois aller où?

– A Paris.

– Et ensuite?

– Je laisse la voiture à un endroit indiqué sur le plan. Avant, je dépose les tableaux aux endroits convenus. J'ai une liste.

– Les tableaux?

– Oui, confirma le Soviétique, ceux qui sont là.

Il désignait une pièce de l'autre côté du couloir. Malko poussa une porte et s'immobilisa devant le spectacle. Il y avait une centaine de tableaux encadrés, tous de la même main. Des naïfs. Pas de la grande peinture... Il revit Beata lui vanter ses talents de peintre. C'était ça son atelier! Il se tourna vers le Soviétique.

– Comment ça fonctionne?

Docilement, l'homme en prit un et montra à Malko un petit clou qui sortait du cadre.

– Il faut enfoncer ça. Ensuite, on a une demi-heure pour s'éloigner. Je devais les déposer dans des endroits publics, des galeries commerciales, des cafés, des gares.

Un détonateur à retard. Mais où se trouvait l'explosif? Malko réalisa tout à coup. Prenant un couteau qui se trouvait sur une table, il s'empara d'un tableau et se mit à gratter la couche de peinture. Découvrant une surface jaunâtre assez souple.

Le tableau était peint sur du Semtex!

Chacun d'eux était une machine infernale capable de faire sauter un avion ou de tuer des dizaines de personnes. Chaque voiture piégée pouvait emmener ainsi une dizaine de « sous-munitions » capables de semer la mort.

Malko fixa le Soviétique, à la fois écœuré et stupéfait.

– Tu sais que tu allais tuer beaucoup de gens avec ça. Des femmes, des enfants, des innocents.

Le Soviétique baissa la tête sans répondre. Pour lui, c'était abstrait.

Soudain Malko fut alerté par un bruit de moteur. Il ressortit vivement et découvrit devant le portail une vieille BMW noire, immatriculée en Autriche, à Vienne. Devant, se trouvait Jaroslav, le vieux chauffeur du colonel Ungelt, examinant le portail défoncé avec inquiétude. Tellement absorbé qu'il ne vit pas surgir derrière lui Rupert Goose qui lui appuya le canon d'un pistolet derrière l'oreille.

CHAPITRE XX

Poussé rudement en avant par Rupert Goose, le vieux Jaroslav ressemblait à un lapin affolé. Malko l'examina longuement. Avec sa moustache blanche, ses yeux bleus délavés, son impeccable chemise blanche et sa cravate noire, on aurait dit un retraité bien propre à qui on confierait ses économies. Son regard allait sans cesse de Malko au Soviétique et sa peau ridée semblait s'être encore plus ratatinée.

– *Sprechen sie deutsch?* interrogea Malko.

– *Ja wohl.*

La réponse était venue machinale, automatique.

– Il y a un porte-documents dans la BMW, dit Rupert Goose, je vais le chercher.

– Asseyez-vous là! ordonna Malko à Jaroslav, en lui désignant de son pistolet le banc dans la cuisine.

Au même moment, le Soviétique, à qui Malko tournait le dos, se rua dans le couloir et déboula dans la cour.

– Attention! hurla Malko à Rupert Goose.

Le Canadien, en train de fouiller la BMW, se redressa. Le Soviétique s'enfuyait vers la rue. Instinctivement, Rupert Goose tira. Trois fois de suite, au jugé. L'autre boula et s'effondra contre le grillage. Un des projectiles l'avait frappé en plein cœur. Il eut encore quelques mouvements réflexes et demeura immobile.

Malko accourut, abaissa son Makarov. Triste et en même temps glacé. Le Soviétique était un pauvre type, mais un homme qui accepte lucidement de commettre des attentats mortels pour gagner cinq mille dollars ne mérite pas de vivre. Il rentra à l'intérieur. Le vieux Jaroslav n'avait pas bougé. En plus, dans ce quartier désert, personne ne devait avoir entendu les détonations. Quelques instants plus tard, Rupert Goose entra, un porte-documents en plastique bleu à la main.

Malko l'ouvrit. Il contenait plusieurs grandes enveloppes en plastique transparent. La première renfermait les papiers d'une Audi 80 immatriculée aux Pays-Bas, ainsi que deux passeports hollandais aux noms de M. et Mme Bernard Altrech. Il y avait aussi une enveloppe plus petite, bourrée de florins et de livres sterling et un plan de la ville de Londres. Malko le déplia, découvrant une croix tracée à l'encre rouge en face de la gare de Waterloo et six autres plus petites, à différents endroits de la ville. Anouar Rashimi avait parlé de voitures piégées. Il restait à découvrir comment elles l'étaient. Ou si les tableaux constituaient leur seule charge mortelle.

Il y avait cinq grandes enveloppes de plastique. Avec la Ford qui avait explosé accidentellement, cela faisait six bombes roulantes. A condition que ce soient les seules.

Sinistre vengeance pour le dictateur de Bagdad. Son affaire avait été admirablement montée. Il n'y avait aucun lien direct entre l'Irak et le colonel Ungelt. Bien entendu, cela n'aurait pas trompé les spécialistes, mais Saddam Hussein aurait pu jurer la main sur le cœur qu'il n'était pour rien dans cette campagne d'attentats, déclenchée « spontanément » par ses amis palestiniens.

Les conséquences pour les pays de la Coalition auraient été désastreuses. Terreur pour les populations civiles, déstabilisation des gouvernements démocratiques, ralentissement économique, crispation policière.

Tous éléments destinés à faire relâcher la pression sur l'Irak, et à jeter la zizanie dans le camp occidental. Tout cela avec quelques centaines de milliers de dollars et une poignée de soldats perdus du terrorisme. Celui-ci étant une forme de guerre, c'était sûrement la moins chère.

Malko posa le porte-documents sur la table et regarda le vieux Jaroslav. Il semblait s'être tassé sur son banc.

– Que signifie tout ceci? demanda-t-il.

– Ce sont des voitures d'occasion à vendre, bredouilla le chauffeur du colonel Ungelt.

– Vous êtes un menteur, cingla Malko, et je vais vous le prouver.

Il le força à sortir dans la cour où Rupert Goose veillait sur la BMW. Au passage, Malko prit le couteau qui lui avait servi à gratter le tableau et s'attaqua à une des portières.

Très vite, la peinture s'écailla, laissant apparaître la même matière jaune que les tableaux : du Semtex moulé, indétectable. On pouvait fouiller la voiture sans rien trouver. Les portières *étaient* la charge explosive, les détonateurs reliés à travers une minuterie à un instrument du tableau de bord. Malko se retourna vers Jaroslav dont le regard vacillait.

– Alors? Vous vous décidez à dire la vérité?

Jaroslav baissa la tête sans répondre.

Malko pointa son Makarov sur la poitrine du Tchèque et lança d'une voix glaciale :

– Vous savez très bien qu'il s'agit de voitures piégées destinées à commettre des attentats dans toute l'Europe. Je vous donne dix secondes pour me dire *tout* ce que vous savez.

Il commença à compter. Le cadavre du Soviétique effondré contre le grillage montrait qu'il ne bluffait pas. A sept, le vieux s'effondra, sanglotant dans sa moustache.

– Oui, oui, c'est vrai, gémit-il, mais je ne pouvais pas

refuser! J'avais l'intention de communiquer les numéros des voitures à la police pour qu'on les arrête aux frontières. Mais avant, je ne pouvais rien faire, le colonel m'aurait tué... J'ai toujours travaillé pour lui, depuis des années.

– Comme quoi?

– Il m'infiltrait dans des groupes de dissidents. Pour que je les surveille.

Autrement dit un mouchard... Avec son air innocent, il avait dû faire des ravages. Malko comprenait pourquoi Jaroslav n'avait pas pu se reconvertir. Les gens comme lui, on les retrouvait pendus à des crocs de boucher après les révolutions. Le vieux larmoya :

– J'ai soixante-sept ans, je ne veux pas aller en prison pour mes dernières années.

Il préférait faire tuer des centaines de gens. Malko n'était pas pour lui donner des leçons de morale... Il le prit par le collet et l'appuya à la BMW :

– Où seriez-vous allé, en repartant d'ici?

– Chercher une autre voiture pour la conduire à l'hôtel *Druzba*.

– Qui se trouve à l'hôtel *Druzba*?

– Les Hollandais! bredouilla-t-il. Enfin...

– D'où viennent les faux papiers?

– C'est moi qui les ai fabriqués, c'est ce que je faisais à la STB, pour beaucoup de documents. C'est comme ça que j'ai connu le colonel Ungelt. Quand il n'était que capitaine.

– Y avait-il d'autres voitures piégées en dehors de celles dont vous avez les papiers?

– Non.

– Où sont les quatre autres?

D'abord, Jaroslav ne répondit pas. Leurs regards s'affrontèrent puis il baissa la tête et dit dans un souffle :

– Dans le grand parking souterrain en face de la gare.

– Très bien, vous venez avec moi, dit Malko. Si vous

avez menti, je vous mets une balle dans la tête. (Il se tourna vers Rupert Goose.) Restez ici, j'ai vu qu'il y avait un téléphone, appelez la police et racontez-leur tout. Prévenez aussi John Laramie.

Il poussa Jaroslav dans la Chevrolet à l'avant défoncé et prit le volant. Avant tout, il fallait empêcher la catastrophe. Ensuite, on réglerait les comptes.

Le parking Hlavni Nadrazi ressemblait à tous les parkings du monde, en bordure de Vitezneho Unora. Le vieux Jaroslav le conduisit au troisième sous-sol presque vide et l'arrêta devant quatre voitures.

– Ce sont celles-là, dit-il d'une voix blanche.

Malko les balaya du regard. Il y avait une Audi 80 grise immatriculée aux Pays-Bas, une Peugeot 205 noire avec des plaques françaises, une Rover avec des plaques anglaises et une Fiat avec une immatriculation romaine. Comme il avait emporté le porte-documents, il put facilement vérifier qu'il s'agissait bien des véhicules piégés.

– Otez toutes les têtes de delco, ordonna-t-il à Jaroslav.

Le vieux se précipita, comme pour se racheter. En un quart d'heure ce fut fait, et Malko jeta le matériel dans la Chevrolet.

– Qui sont les chauffeurs de ces voitures? demanda-t-il.

– Des gens qui travaillent dans des réseaux clandestins, dit Jaroslav. Des Allemands de la FAR, un couple des Brigades Rouges, un Hongrois, un Belge.

– Où sont-ils?

– A l'hôtel *Druzba* et au *Merkur*.

Ceux-là n'étaient que des exécutants. Malko posa enfin la question qui lui brûlait les lèvres.

– Où est le colonel Frantiska Ungelt?

Jaroslav leva sur lui un regard de chien battu.

– Chez lui, je pense.

– Vous ne devez pas le revoir?
– Non.
– Et Beata?

Jaroslav sursauta en entendant le nom de la jeune femme. Surpris visiblement que Malko la connaisse.

– Je ne sais pas, murmura-t-il.

– Très bien, dit Malko. Nous allons vérifier tout cela.

En sortant du parking, il s'arrêta pour téléphoner à l'ambassade. John Laramie était absent. Il essaya le numéro de Beata qui ne répondait pas. Il restait un seul point de chute. A côté de lui, Jaroslav semblait transparent, un souffle, une ombre, un rien. En voilà un qui risquait de ne pas avoir une vieillesse heureuse.

Deux voitures jaunes de la VB avec leurs énormes gyrophares étaient arrêtées devant le 14 de la rue Zlatnice à côté d'une Ford noire CD et d'une Zastava pleine d'antennes. Malko entraîna Jaroslav dans le jardin de la villa du colonel Ungelt et se heurta pratiquement à John Laramie en grande conversation avec un civil. L'Américain se précipita vers lui.

– *My God!* J'étais terriblement inquiet.

– J'ai retrouvé les voitures, annonça Malko. Elles sont neutralisées et voici le complice du colonel Ungelt. Remettez-le à la police tchèque.

Jaroslav baissait les yeux, immobile et muet. L'homme qui se trouvait avec John Laramie tendit la main à Malko.

– Je suis le colonel Prochazka. Responsable de la Sécurité. Mr. Laramie nous a tout expliqué. Malheureusement le colonel Ungelt ne nous a pas attendus.

– Il est parti quand?

– Il y a environ un quart d'heure. Je pense qu'on l'avait prévenu de notre arrivée.

– Où peut-il être allé?

– Je l'ignore, avoua le colonel Prochazka. Je fais

surveiller l'aéroport et les postes frontières. Mais il y a de très fortes chances qu'il soit allé se réfugier à l'ambassade d'URSS. Il est très bien avec l'ambassadeur.

Malko ne l'écoutait plus. Il avait sa petite idée.

– Où se trouve l'ambassade d'URSS? demanda-t-il.

– Dans Pod Kastany, pas loin d'ici. Mais il y est sûrement, à l'heure qu'il est. C'est trop tard.

Malko s'éloignait déjà. Le colonel tchèque avait raison. Sauf si...

Cela faisait un quart d'heure que Malko attendait en face de l'entrée majestueuse de l'ambassade d'URSS, au numéro 1 de Pod Kastany, une avenue paisible du quartier de Bubenec. Plus les minutes s'écoulaient, plus ses espoirs s'évanouissaient. Le colonel Prochazka avait très probablement raison. Ungelt ne chercherait pas à se réfugier à l'Ouest. Trop dangereux. Seulement l'explosion accidentelle de la Ford piégée avait sûrement modifié ses plans.

Une seule inconnue : se sachant traqué, avait-il fui directement à l'ambassade d'URSS, ou avait-il pris le temps et le risque d'aller récupérer Beata, la femme dont il était fou amoureux?

Un taxi qui arrivait apporta la réponse à Malko. Il ralentit et stoppa trente mètres devant lui, en face d'une porte latérale de l'ambassade soviétique. Malko aperçut à l'arrière des cheveux blonds. Dix secondes plus tard, Beata émergeait du véhicule, sanglée dans son tailleur de cuir vert, sac de crocodile au bras. Le colonel Frantiska Ungelt descendit derrière elle, coiffé d'un feutre, massif, les yeux bleus ressortant d'un visage rond et dur. Semblable à la description qu'en avait eue Malko. Il tenait à la main un gros attaché-case noir. Le couple se dirigea vers une entrée latérale, celle du Consulat.

Frantiska Ungelt sonna. Si l'ex-colonel de la STB

n'avait pas été chercher Beata, il serait en sécurité maintenant... Malko passa la première et avança, s'arrêtant juste en face d'eux. Le colonel avait sonné et parlait maintenant dans un interphone. Malko allait prendre le Makarov posé à côté de lui sur le siège, une balle dans le canon, et descendre, lorsque Beata l'aperçut et cria :

– *Pozor!*(1)

Frantiska Ungelt tourna la tête et ses traits se durcirent. Puis, avec un sang-froid étonnant, il recommença à parlementer pour se faire ouvrir. Tout allait se jouer en quelques secondes. Beata s'éloigna de lui et se dirigea vers Malko, traversant la chaussée. Superbe, avec ses interminables jambes découvertes par la jupe verte, le visage illuminé d'un sourire provocant. Elle lança de sa voix chantante et chaude :

– Malko! Qu'est-ce que tu fais là? Quelle bonne surprise!

S'il n'avait pas aperçu la main plongée dans le sac, Malko se fût peut-être laissé surprendre. Il saisit la crosse du Makarov et cria :

– Beata, arrêtez!

Beata ne s'arrêta pas. Jusqu'à la dernière seconde le sourire demeura sur ses lèvres. Même quand sa main émergea du sac de croco vert, tenant un petit revolver. Malko ne tira qu'une fois et le projectile du Makarov frappa Beata en pleine tête.

Elle tournoya sur elle-même et tomba comme une masse, au milieu de la chaussée.

Plusieurs choses arrivèrent en même temps. Alerté par le bruit, le soldat tchèque en faction trente mètres plus loin tourna la tête et aperçut Beata étendue au milieu de la rue. Faisant glisser sa Kalach de son épaule, il se précipita.

Frantiska Ungelt, qui n'avait pas cessé de parler dans l'interphone, poussa un rugissement, plongea la main

(1) Attention!

sous sa veste et la ressortit armée d'un pistolet. Comme un fou, il se mit à tirer dans la direction de la Chevrolet.

Malko, voyant son geste, eut le temps de bondir hors de la voiture, s'abritant derrière le capot. Un des projectiles d'Ungelt brisa une glace, les autres s'enfoncèrent dans la carrosserie.

A son tour, Malko tira, touchant au moins une fois Frantiska Ungelt.

Le soldat tchèque qui accourait aperçut un homme en train de tituber, brandissant un pistolet. A demi-inconscient, Frantiska Ungelt agita son arme en direction du soldat. Involontairement.

Se sentant menacé, le jeune soldat appuya sur la détente de sa Kalachnikov, vidant d'un coup, par inexpérience, la moitié de son chargeur. Plusieurs projectiles atteignirent l'ex-colonel de la STB. Il vacilla quelques instants puis s'écroula d'un bloc en face de la porte de l'ambassade soviétique qui venait de s'ouvrir.

Commission paritaire N° 56196

ROLAND JACQUARD — LES CARTES SECRÈTES DE LA GUERRE DU GOLFE

Dans la nuit du 26 février 1991, battue par la coalition militaire de 29 pays et après 41 jours d'une "drôle de guerre", l'Irak rend les armes et se retire de l'émirat du Koweït.

Grâce à la longue enquête qu'il a menée au Moyen-Orient, en Europe et aux États-Unis, Roland Jacquard, puisant aux sources les plus confidentielles, ouvre les dossiers secrets de **La guerre du Golfe**.

De la forteresse militaire irakienne aux informations secrètes sur le groupe Abou Nidal, et l'assassinat d'Abou Iyad, ce document retrace dans le détail l'histoire secrète de l'arsenal militaire irakien, avec des révélations inédites sur la bombe atomique en préparation à Bagdad, les armes chimiques et les missiles à longue portée ...

L'auteur va plus loin et nous révèle les dessous du régime irakien, la véritable personnalité de Saddam Hussein, ses relations avec le KGB et le monde occidental.

Un livre d'une brûlante actualité qui permet de comprendre comment **La guerre du Golfe** a redéfini les enjeux d'un nouvel ordre du monde.

Roland Jacquard, journaliste, écrivain, est directeur du Journal du Parlement, *consultant au journal* Le point. *Il a également écrit plusieurs ouvrages traitant du terrorisme et des services secrets, dont :*
Les Dossiers Secrets du Terrorisme
(Éd. Albin Michel).
Il a couvert sur La Cinq *l'actualité de la guerre du Golfe.*

120 F.

LES CARTES SECRÈTES DE LA GUERRE DU GOLFE

ROLAND JACQUARD

EDITION°1 / EDITIONS GERARD DE VILLIERS

IMPRIMÉ EN FRANCE PAR BRODARD ET TAUPIN
Usine de La Flèche (Sarthe), le 05-06-1991.
1447E-5 - Dépôt légal, Éditeur 3662 - 6/1991.
ISBN : 2-7386-0194-4